FUTURE EDUCATION!

学校をイノベーションする
14の教育論

FUTURE EDUCATION!

学校をイノベーションする14の教育論

教育新聞 編

岩波書店

はじめに

いま日本の教育は大きな転換期を迎えています。近代学校制度を整備した学制発布以来ともいえる、「一五〇年に一度」の大改革の波がきていると言っていいでしょう。ＡＩをはじめとするデジタル技術の発達により、世の中が変化するスピードは桁違いの速さになりました。それに伴い、「偏差値の高い学校を出て、いい会社に入れば、生涯安定した暮らしができる」という〝幸せのモデル〟も崩壊してしまいました。こうすれば将来は大丈夫という正解がなくなった、いわゆる「答えのない時代」に世界は入ったのです。そんな未来を生きていく子供たちに、学校は何を教えればいいのか。そもそも教えるという行為も、変わらなければいけないのではないか。教師も保護者も模索しています。

何より「これからの時代に求められる人間像」が変わりました。時代の要請として「発見・創造する力」「ＡＩやデータを活用する力」などが必要とされています。つまりは「教師や保護者から一方的に教えられるのではなく、自分で学びたいものを探して学び、ＡＩなども使って、積極的に自分自身で、あるいは仲間たちと答えを見つけていく子供たち」を育てていかなければならないのです。

ではどうすれば、そうした力を子供たちは身につけられるのか。われわれ大人に、それが教えられるのか。試験合格をゴールにした従来の授業法では、不可能なのは明らかです。

いま学校現場では、一斉授業や講義中心といった授業形態から、ＰＢＬ（課題解決型学習）や自律型の探究学習など、児童生徒の主体性と対話を重視した「新しい学び方」への移行が進みつつあります。またＩＣＴを活用したオンライン授業や、ＡＩなどを使った「個別最適化された学び」が可能になり、これまでは学校の教室での対面授業を中心としていた学習環境も変化しつつあります。

さらに二〇二〇年、「コロナ危機」が起きました。社会全体が一変しましたが、教育現場も同様です。「学びの保障」のため、教育改革のスピードをいっそう上げなければいけなくなったのです。休校の長期化による学習の遅れなどもあり、学校現場の課題は増え続けるばかりです。

私たち教育新聞は日本を代表する教育専門の報道メディアとして、「学校を変えるファクトに迫る教育ジャーナリズム」を掲げ、読者にそうした状況に対応するための指針となるニュースを伝えようと、海外も含めた学校現場の先進的な取り組みや、教育行政の動向などを日々取材して報じています。

おかげさまで、こうした報道姿勢が支持され、年々より多くの購読者に恵まれ続けています。いま何が起きているのか、これからどうしていくべきなのかを深く理解し、長期的な視座を養いたいという方が確実に増えているという証拠でしょう。

そして弊紙の企画の中でも特に高い関心をもって読まれているのが、「教育界のイノベーター」へのインタビューです。各記事では、優れて革新的な理論と実践手法、最先端の取り組みに迫るとともに、ときには教育者としての魂や哲学、苦悩までをも掘り下げています。

本書はさらにその中から、「今後一〇〇年間、教育を志す人間が必ず読むような本にしたい」という思いで、選りすぐりの記事をまとめました。また、教育関係者以外にも読んでいただきやすいように加筆しましたので、「教育が面白くなる入門書」にもなっていると思います。

テーマは「教育の究極の目的とは何か」「多様な社会を生き抜く力とは」といった根源的なものから、「二〇五〇年を生きるための教育」「成功や幸せの価値観を変えるための教育」などの教育観や実践、学校現場で進む意識改革と組織改革、そしてコロナ危機を経て学校と学びはどう変わっていくべきかという考察など、全てが「未来の教育への羅針盤」となるものです。

また、学習進度二倍というAI教材や、児童生徒が自分の習熟度に合わせて利用できるオンライン学習サービス、一〇〇万人の子供たちが視聴者の YouTube の授業動画など、新時代の学習方法にも迫っています。

お話を伺ったのも学校現場の改革実践者である校長や教師、教育研究者をはじめ、ノーベル賞受賞者、注目のベストセラー著者、児童生徒から大人気の教育系 YouTuber、EdTech の先駆者でもある企業のリーダーまで多士済々。そして、それぞれ立場と教育への関わり方は違えども、共通するものがあります。それは「情熱と揺るぎない信念」です。

コロナ危機より前にお話を伺った皆さんに、本書の出版に際して変更がないかを確認したのですが、どなたも「（コロナ危機後も）基本的な考え方は変わりません」と、きっぱりおっしゃいました。本書で語られているのは、目先の変化によって揺れ動くような教育論ではないのです。

どのインタビューも私たち編集部は真剣に質問し、話者はものすごい熱量で答えています。そしてその熱量は記者にではなく、子供たちに向けられています。これから本書を読む皆さんに最も受け取っていただきたいのは、実はその熱量なのです。

「14の教育論」を読んでいただくと必ず、「未来志向の潮流」とでもいうべき一本の太い流れが見えてくることでしょう。その潮流はコロナ危機のような困難を受けて、流れが速まることはあっても、方向が変わったり、せき止められたりということはありません。それどころか、そこに本書を読まれた皆さんの思いと情熱が加わり、より大きな潮流となっていく――。『FUTURE EDUCATION!』という書名には、そういう願いを込めました。

教育の未来とは、世界の未来に他なりません。教師、教員志望者、教育関係者はもとより、保護者や、教育に関心がある大勢の方々にも読んでいただくことで、一人でも多くの子供が笑顔で暮らせる「幸せな世界と未来」がつくられていくことを願っています。

教育新聞編集部長　小木曽浩介

目次

Ⅱ　学校のイノベーション

Ⅲ　近未来の教育

Ⅳ　ポストコロナの学校像

装丁＝小口翔平＋奈良岡菜摘(tobufune)

I

教育の先にある未来

FUTURE EDUCATION!

#01 野依良治

人類は進歩し続けなければならない

ノーベル賞受賞者が語る教育の究極の役割

のより・りょうじ　1938年9月生まれ，京都大学卒業．名古屋大学特別教授，工学博士．2000年に文化勲章を受け，01年に「不斉合成反応の研究」でノーベル化学賞を受賞．

二〇〇一年にノーベル化学賞を受賞し、現在は科学技術振興機構の研究開発戦略センター長を務める野依良治博士は「私は今の教育と世相に大いに怒っている」と危機感をあらわにする。「現代最高の知性」であるノーベル賞受賞者には、教育の現在と未来がどのように見えているのか。日本の教育の危機的な状況と、その打開策、果ては人類文明の存続についてなど、インタビューは全四時間に及んだ。

（聞き手・教育新聞編集部長　小木曽浩介）

今の教育に本気で怒っている

――日本の教育は今、大変革期を迎えています。座長を務められた教育再生会議（教育改革を検討するため第一次安倍政権が二〇〇六年に設立。各界の有識者一六人がメンバーとなり、野依氏が座長を務めた。第二次政権発足を受け、一三年に教育再生実行会議として復活）から一〇年以上がたち、令和の時代に入りましたが、今の教育をどう見ていますか。

私は教育の専門家ではありません。だが、この硬直化した教育の状況について言いたいことはたくさんある。本気で怒っています。本来、なぜ教育があるのか。まず、個々の人々が豊かな一〇〇年の人生を送るため。国の存立と繁栄をもたらすため。さらに人類文明の持続に資することが最も大事で、この根幹を忘れてはならないと思うわけです。

問題は、じゃあ、どういう人生、あるいは国、あるいは人類社会であるべきか――ということ。そこに理念あるいは構想がなければ、とても教育はできませんね。

日本は戦後、欧米から民主主義や人権など多くのことを学んできたものの、残念ながら受け身であり続け、自らが考えた「国是」が共有されていないことに、根本的な問題があると思っています。

そして、学校教育。学校教育は、社会のためにある。個人が自由に生きる権利は大切だが、決して入学試験に合格するためだとか、あるいは金持ちや権力者になるためにあるのではない。教育界というのは日本であれ、あるいは世界であれ、あるべき社会を担う人を育まなければいけない。健全な社会をつくることが、国民それぞれの幸せにも反映されるわけです。

しかし今、日本はどういう国になっているか。財政面では巨大な公的債務がある。そして少子高齢化の状態にある。それからエネルギー、資源問題。これも他国と違っていて、世代間の公平性を維持しつつ、自分たちの責任でしっかりと確保しなければいけない。国際社会において中国も台頭する中、いかに生き抜くか。そういう厳しい実情です。だから日本は他国並みではなく、格段にしっかりした次世代を育てなければなりません。行政にも現場にも、その覚悟が求められる。

一方、世界はどうかというと、科学技術が決定的に文明社会の発展に貢献してきたわけです。この一世紀の間に、先進国では人の平均寿命は四五歳から八〇歳まで延びました。一〇〇年前だったら私なんかとうてい生きていないけれど、まだ元気でいる。それから人々の個人の能力。親から与えられた生来の能力はごく限られているけれども、科学技術によって外的に拡大しています。

経済的に見れば、世界中の七七億人の人口を支えるべく、産業革命から考えると、経済の規模は二五〇倍ぐらいに拡大しています。

しかしながら、それによる光と影があります。今後は個人、組織、あるいは国が、持続可能性を視野に入れた営みを続けて、社会全体の質を向上させないといけない。しかし現実にはそうなってはおらず、逆に世界各国で民主主義や人権が損なわれ、格差社会を生んでいます。恐らく「戦いに勝つことは善である」とする考え、また新自由主義による自己利益の最大化を是認する倫理の問題でしょう。

文化を尊ぶ文明社会を

――今は「正義がないがしろにされている社会」だということですか。たしかに世界各国で、そういう風潮は見てとれます。

私は、覇権主義の国、大きな国が声高に叫ぶ正義だけが、正義ではないと思います。「力は正義なり」は間違っている。正義はたくさんあり、多面的に相対化して考えなければいけない。だから私は常に「文化を尊ぶ文明社会」をつくらなければいけないと主張しているわけです。

何も皆がありがたがる欧米の文化だけ、五〇〇〇年の歴史を持つ中国文化だけが尊いのではなくて、多様な文化を尊重する文明社会をつくっていかなければいけない。あまたある他者との「共生」に向かわねば、持続は不可能です。

――尊重すべき「多様な文化」とは何でしょうか。

私は、文化は四つの要素から成ると思っています。言語、情緒、論理、そして科学。

言語は地域によってものすごくたくさんあり、他方で科学は一つしかない。情緒や論理の多様性は、その言語と科学の間にある。これらの文化的な要素をきちんと尊重しなきゃいけない。決して軍事力や経済力で踏みにじってはならない。

私は科学者ですが、将来を考えると科学知識や技術だけでは、人々は生きていけないと思います。やっぱり文化に根差す思想がないと、未来を描くことも、実現することもできない。

日本という国を考えると、ただ産業経済力を強化するだけでなく、いかに文化面で共生に貢献するかという道を、自ら考えなければいけない。世界もそれを求めているはずです。若者にはもっと世界を知った上で、自らに誇りを持ってほしい。

――そのためにも、教育しなければいけない、と。

その通りです。同時に人は時代と共に生きているわけで、その時代が求める知は何かということも重要です。教育は教条的ではいけない。昔の教育と今の教育は違うはずで、近未来も含めて時代を生き抜く若い世代をつくることが、個人のためにも、社会のためにもなるのです。

なぜ科学を学ぶか

――科学者の立場から、科学教育についてはどう思われていますか。

科学とは、真理追究の営みです。ポール・ゴーギャンの『われわれはどこから来たのか　われわれは何者か　われわれはどこへ行くのか』という絵がありますよね。この問いにまっとうに答えるのが科学だと思っています。

科学は客観性の高いものですが、人々の営みとか自然観、人生観、死生観などの、まっとうな主観を醸成します。いたずらに経済的利益追求に貢献するだけではなく、これが本当の意味での科学の一番大事な役割なのです。

――非常にスケールの大きい命題ですね。

そうです。科学は森羅万象に関わるからです。とはいえ、そんな大きな命題にはなかなか答えられない。だから個々の人は身の丈に合った科学的課題を選び、研究をし、ささやかでも人類共通の資産をつくるのです。そして誰かが、その知識を使うことになる。

ソクラテスは「無知の知」と言っていますが、科学教育の本質はまさにここにある。人々は謙虚でなければいけない。つまり、何かを発見したら、その背後にはまた、大きい未知が残っていることが分かる。

iPSや新たな免疫作用が見つかると、また分からないことがいっぱい出てくる。日々発見があるので、この世界はきりがない。だから優秀な科学者といえども傲慢にならないで、「無知の知」をきちんと認識しないといけない。

ニュートンは「私がかなた遠くを見渡せるのだとしたら、それはひとえに巨人の肩に乗っていたからです」と言っています。ニュートン自身もすごい科学者でしたが、ガリレオやケプラーの業績の上に乗っていたからこそ「遠くが見渡せる」と。科学の本質は知識の積み上げです。だから、いつの時代にも若い人が未知に挑む。最高水準の研究をして、新しい知に挑んでいる。

進歩し続ける科学の宿命

――「知の巨人」たちの肩に乗る。それが科学の本質なのですか。

そう。ほとんどの人はアインシュタインや、ワトソンとクリック(DNAのらせん構造を発見)

よりも優れてはいないでしょう。しかし若者はその上に乗って、かれらよりも高い水準のことを学び、また研究する。これが大事で、科学教育はこれを踏まえてやらなければいけない。かれらこそが社会の宝。励まして心に灯をともすことが大切です。決して消耗してはなりません。

そして、もう一つ。社会学者マックス・ウェーバーは「科学は進歩し続ける宿命にある」という趣旨のことを言っています。これはすごいですよ。科学以外に、進歩し続けるというものはありますか。

――思いつきません。

なかなかないですよね。芸術や文学は進化する。時代により本質は進化あるいは変容するが、進歩しているかというと、分からない。ベートーベン、モーツァルトに比べて、現代音楽の方が進歩しているでしょうか。

紫式部、シェークスピアと、今の流行作家。ゴッホ、ピカソと、今の画家。現代の作品の方がより優れているかというと、必ずしもそうじゃない。進歩じゃなくて、変容、進化、化けていることは確かですが。

――芸術で進歩したと言えるのは、作品ではなく、制作道具や機材ですね。

そう。そして制作道具や機材には、必ず科学技術が入っていて、そういう意味で進歩がある。昔できなかったことが可能になった。再度強調したいのですが、「科学は進歩し続ける宿命にある」。だから、科学技術が社会をよくする、あるいは国力の源泉であると認めるなら、科学をきちんと制度化しないといけない。

趣味ならばいいが、国のためには放置して個人がばらばらに勝手にやってでは駄目。科学教育、科学研究の仕組みを社会が責任を持ってちゃんと用意しないといけない。しかしこれは行政だけの力では不十分で、国民全体の理解と支援が必要です。

科学は積み上げ方式なので、いつも先端にいるのは若い人たちです。逆に昔の人と同じことを繰り返しやっていては、もはや研究とは言えない。他の分野とは異なる、科学の本質を踏まえた教育制度が必要なのです。

自分で問題を見つける力

――次代を担う若者たちですが、学力についてはどうでしょう。

その話をするには、まずこちらから質問しましょう。科学者として成功するには、何が必要なのか分かりますか。

――……観察眼やセンスでしょうか。

それらも大事でしょうが、違います。ものすごく単純なんです。自分でいい問題を見つけて、それに正しく答えるということです。この生き方を貫くのです。

――そう言われると、新聞記者も同じですね。自分でいい問題を見つけることが一番重要です。

もちろん、そうでしょう。それで日本の青少年の基礎的な学力ですが、経済協力開発機構（ＯＥＣＤ）の学習到達度調査（ＰＩＳＡ）や、国際教育到達度評価学会（ＩＥＡ）の国際数学・理科教育動向調査（ＴＩＭＳＳ）などを見ると、割と頑張っています。

ただ問題は、学びが消極的な点。積極的に定説に対して疑問を投げ掛けたりすることがない。教科書などに書いてあったら、「ああ、それはそうですね」で済ませ、「そうじゃないんじゃないか」と、自分で考え、工夫して挑戦しないのですね。

創造性のある科学者に必要なのは、いい頭ではなく、「強い地頭」。自問自答、自学自習ができないといけない。

それから、感性と好奇心。これが不可欠です。そして新しいことに挑戦しなければいけないから、やっぱり反権力、反権威じゃないと駄目ですね。年配者や先生への忖度《そんたく》は無用です。先生や社会は若者のこの自由闊達《かったつ》な挑戦を温かく見守る必要がある。

しかし、科学者として成功した人は、しばしば変人奇人で、非社交的です。良い子ではない。芸術で言えば前衛や異端ですね。独創的とは「独り創造的」なので、かれらの考えや成果はなかなか認められない。寂しく、孤独。それに耐えていかなければいけない。けれど、思い入れを持って仕事をしているから、それができる。

「異に合う」

——こつこつやることや、忍耐の源泉は、まさに思い入れですね。

そう、「思い入れ」。

ただし、独善的な「思い込み」では駄目です。重要なのは「異に合う」こと。異なる物事や人々、異なる文化に出合う経験というのはものすごく大事です。自分で問題を見つけるために、同じところで、じっと考えていても見つからないのです。

今の大きな問題は、好奇心を持って自ら問う力、考える力、答える力、これらが落ちているということ。なぜそうなるのかというと、社会全体を覆う効率主義、成果主義のせい。しかも実は本当の成果を求めていない、形だけの評価制度なのです。これは許せないことで、評価は本来、人や物の価値を高めるためにあるのですが、そうなっていない。問題の全体像をつかみ、自ら考えて、答えを得るというプロセスがなければ、知力を培うことは絶対にできません。

日本は「教育貧困国」

——「全体像を把握する力」という指摘がありましたが、その力も足りていませんか。

例えば、かつて私たちは一冊の本があったら、まず第一章、第二章……第一〇章……第一五章と、前から目次を順次眺めながら、全体の学問の構造を勉強しました。目次は大事です。

しかし今の大学生は目次には関心が無く、索引を見ます。例えば索引で万有引力の部分を読んで、「おお、万有引力とはこういうことか」と。細胞死なら細胞死の記述だけを読んで「これは分かった」と。だから知識が体系化されず、ばらばらで断片的なんです。

――それですと、グーグル検索も駄目ですね。

今はもうウェブですね。ウェブ検索はとても便利なので使いこなすべきですが、極めて断片的な情報しか得られず、それだけでは全体が見えない。この分野がどういう構成でできているかなどは、分からないわけですよ。

――巨人の肩に乗る格好にならないのですね。

そう、なりません。ドローンでさっと舞い上がって、あらかじめ見たいものだけをピンポイントで見てくるようなものです。

若者たちの考える力、答える力が落ちていると言いますが、最も心配なのは「問う力」がほとんどないこと。誰かに作ってもらった問題に答える習慣が染み付いている。幼い子供たちは好奇心を持つが、学校教育が疑いを持つことを許さないのではないか。発展につながるいい問題を作るのは、与えられた問題にいい答えを出すよりも、ずっと難しいのです。平凡な既成の問題に答えてもまったく意味を成さないはずで、なぜこんなことが分からないのか。

しかし、これは若者が悪いんじゃなく、国なり、社会の教育に対する考え方が、科学研究を損なっているのです。

私はかつて教育再生会議の座長を務めましたが、やはり「社会総がかり」で教育に取り組まないといけない。その意味で日本は「教育貧困国」なのです。学校だけに任せては駄目です。学校教育だけでなく、家庭、近所、地域、さらに産業界、あらゆるセクターの組織、あるいは人々が教育を支えるという気持ちにならないといけない。そして教える側自身も、支えてくれる人々から多くを学ぶ。

しかし実際には、今の小学校から大学までの教育を見ても分かる通り、教育が学校に偏っている。そして皆、自分の義務を果たすことなく、「学校が悪い、先生が悪い」と言っていて、先生たちが気の毒です。一方で、メディアによると身勝手な教育者らしからぬ先生も大勢いるようです。不祥事は根絶しなければなりません。

学校の先生に全部任されてもね。「親の顔が見たい」という言葉がありますが、家庭でしつけのできていない子供たちを教育できませんよ。学校教育はもちろん大事で、教育の中核を成すものだと思いますが、あくまで教科の授業が中心でしょう。現代、そして将来の社会を支える人をつくる、そして、その個人が幸せに生きるということを、社会全体で考えない限り駄目です。

大学入試は「客観」ではなく「主観」で

――何がおっしゃるようなひずみを生んでいるのでしょうか。

私は、入学試験の弊害がものすごく大きいと思います。まず入試にある科目しか勉強しないことが大問題です。学力は合否判定の軸である。しかし筆記試験の成績が、神のご託宣のように思われているが、その「信仰」の根拠は何か。この「神」は一人一人の獲得点数を一点刻みで正確に知っているが、人物の内容については何一つ理解していません。

入学者の選抜においては、子供、青年たちが、この学校に入ってどのくらい成長するかという観点で、総合的に判断すべきだと思います。筆記試験で今まで詰め込んだ知識の量はそれなりに測れるかもしれないが、それだけでは不確実性に満ちた時代で生きていくための成長性は全く判断できないではないですか。

人には個性と意志がある。学校も個性と意志を持つ。どういう若者を育てたいのか。子供たち、青年たちの過去の経験や、特技、人柄、志を勘案して、法人として自主的かつ総合的に選抜しなければいけないと言っているんですよ。もちろん最近発覚した医学部入試における、女子・浪人生などに対する不当差別があってはならず、公器たる大学が自らの意志で、あらかじめ評価の観点、項目を明確化し、公表することが不可欠であることは言うまでもありません。

「評価」は「分析」と異なり、本来は客観じゃなく主観です。大学に関して言うと、それぞれの学校・学部に特色があるので、どういう学生が望ましいかは、みんな違うはずです。文学部と医学部、体育大学と外国語大学、芸術大学、みんな同じわけがない。

数量的物差しだけでは、ことの本質を測れない。人の精神の営みや感性、文化的特質は計量化できないはずです。だから学生を受け入れる学校側が、自分たちのこととして、しっかりと見る目を持たないといけない。一般的商品の購入には客観データが助言してくれるかもしれない。しかし工芸品の美しさや文化作品の品格の鑑定は難しい。

ましてや、人間の面白さや大きさはね。例えば、人生にとって最も大切なのは伴侶の選択ですが、小木曽さん、あなたは奥様をどう選びましたか。身長や体重といった数値を評価したわけではないでしょう。人を物質化、機械化した客観的数値評価で幸せは得られません。

——たしかにそう言われますと、妻と結婚しようと決めたのは人間性からですし、主観的評価といえますね。そのように「人」に立ち戻って入試を考えるとき、「客観でなく主観で」というのは、選抜法の一八〇度の転換です。

「主観は偏見が入るからいけない」「筆記試験は客観的で公平

だからいい」と言う。では本当に子供、青年たちの機会均等は保障されているのか。受験技術の習得に多額の費用がかかり、親の経済力が機会獲得の支配因子とも言われる。ならば現行の選抜法は、むしろ「政策的偏見」ではないでしょうか。特定の階層の、既得権の再確認であり、国家的には人的資源の大きな損失です。当人があずかり知らない外的要因で、一八歳時にその後の運命が決まっていいはずがない。将来の進路にもよりますが、規格品が通用しない科学分野にとっては大問題です。ここでは要領の良さは通じません。守りの姿勢ではなく、全く無から有を生む、ひたむきな攻めの姿勢こそが求められるのです。

世界が多様性の尊重に向かう中で、日本はなぜ、画一性にこだわるのか。民族性が関係するのでしょうが、私は全く理解できずにいます。世界では人材獲得競争が激化する中、英米の学長らに実情を話し、意見を聞いてみてほしい。これで海外の優秀な人材を確保できるのか。安易な形式的公平性を排し、責任を持って主観的判断をすべきです。もはや一八歳人口はわずか一一八万人、一九九二年の二〇五万人からほぼ半減しました。私立大学の定員割れ状況をみても、国内の人材枯渇は明白です。さらに大学生については国内外に行き来する「頭脳循環」を欠くため、数量、質ともに危機的状況にあります。このままでは座して死を待つのみです。

さらに言えば、大学院入試における、学部学生の囲い込みもひどい。大学院教授は、同一大学内の学部で教えてきた学生たちを審査する。それでは他大学出身生が太刀打ちできるはずがない。利益相反の極致にあります。米国などでは同一大学生の内部進学を回避するところも多く、このようなことは全く考えられない状況です。学生たちは勇気を持って動いて、異なる場で武者修行するべきですね。

——入試の話に続いて、もう少し詳しく高等教育の話を伺います。日本の大学の教育・研究制度には、どんな問題がありますか。

科学について言えば、日本の教育・研究制度が世界標準に照らして、極めて異形《いけい》であることです。このグローバル化の時代に世界と歩調が合わないため、水準の低下だけでなく、国全体が孤立しつつある。しかし大学人も大学組織も社会も日々、身の回りのことしか考えず、体制そのものの形骸化に自覚がないのです。

科学技術は、資源のない日本にとっては国力の源泉、命綱ですが、残念ながら、いろいろな意味で衰退しています。ちょうど二〇世紀から二一世紀に変わるあたりが頂点でしたが、現在はその地位が相当に落ちている。今は米中の二強時代になり、その下に英、独、仏がいて、そして日本という感じですね。産業界のイノベーション力も思わしくない。

日本人は勤勉だし、知性に富んでいます。若い人ももともと十分な能力を持っていますが、それを生かす組織や制度が全くついていけていない。私の心配は、大学の学術の力が落ちていること。教育は時代遅れ、基礎研究もぱっとしない。

今すべきなのは、若い世代の育成に向けて根本的な手を打つことです。研究規模が世界の五%程度の日本が、これからどう生きるべきか。世界標準の教育・研究体制を作り、社会とも協力しながら国際競争力を強化する必要があります。さらに大事なのは国際協調をすることですが、そのための人的資源が全く枯渇しているわけです。数も質もともに深刻です。行政を含めて教育界の責任は大きい。

英語やプログラミング能力だけでは生き残れない

――教育政策として重視されている外国語教育やプログラミング教育は、どう見ていますか。

英語もプログラミング能力も大事ですよ。グローバル社会と言いながらも通用するのは、やはり英語が主ですから。英語の世紀は少なくとも五〇年や七〇年は続くでしょう。その後、中国語の世紀になるかどうかは分かりませんが、少なくとも科学や技術の世界は、英語の世紀が続く。デジタル技術とも相性がいいでしょう。だから多言語翻訳が可能になっても、英語能力は絶対に必要です。

プログラミング能力についても、コンピューターやロボットを駆使する「データ駆動型社会」になるので、必要です。ただし、学校教育を中心に有能な若者を育て、それでも足りないので外国人にも来てもらう。逆に日本人もよそへ行って活躍、修行することが必須条件です。

――それが、日本が生き残れる道ですか。

けれど、それで世界に伍していけるかというと疑問です。米国人、英国人より英語がうまくなるのは無理です。そして論理性がものを言うプログラミングの水準は言い訳せず、同程度でなければなりません。

人材養成制度は世界一級でないといけない。個人が中心となる科学研究は「オンリーワン」を、組織でつくる科学技術は「ナンバーワン」を目指してほしい。日本が科学先進国でいるためには、絶対に自虐性や敗北主義を避け、現実を直視した上で冷静かつ合理的に未来設計することです。世界を見渡して「標準化」と「差異化」のバランスをとることが必要です。

ここでは教育、学問分野に限って述べます。英語など本質的弱点は努力を重ねて最低限にとどめる。日本人は忍耐強く、勤勉だからできるはずです。一方で、欧米中に不可能な強みをつくり上げる。その上で、総合的に優れた知的基盤をつくることを考えるべきです。

そのために、自らが持つ特徴的資質を見極め、生かさなければならない。科学的評価の視点はさまざまですが、独創性を重視するノーベル賞についてはこれが鍵です。ここを、自信を持って強化しないといけない。

“science”と「科学」は同じでない

——見極めるべき特徴的資質、つまり私たちの特質とは何でしょう。

文化的特徴、そしてその基盤である日本語です。つまり欧米人が絶対まねできない私たちの精神です。グローバルな時代には多くの共通項が存在しますが、これこそが私たちだけに与えられた強みです。日本は美しい四季がある自然に囲まれて、独自の豊かな文化を育んできました。私たちは幸いにもその流れを享受している。和歌や文学、能、さらに絵画、茶道、俳句、建築、庭園、陶磁器、伝統音楽、全て素晴らしい。西洋人も間違いなく敬意を表すはずです。この感性はあらゆることに通じます。

私は最近、理科や科学における日本語の大切さを主張しています。日本人は江戸後期から科学を学び始めました。長崎の出島などで蘭学をやり出し、オランダ語を漢字翻訳して使い、さらにドイツ語、英語、ロシア語などを取り入れながら、独自の科学を紡いできた。

音訳でなく、翻訳した先人は偉い。例えば「cell」を「細胞」と翻訳したから意味が分かる。音訳してセルとしていたら、深い意味は伝わらなかった。当時の大学者たちが、本当に苦労して外来語を日本語に翻訳し、漢字熟語を作ったことに感謝しています。もちろん中国から来た言葉もたくさんある。翻訳した文章語によって抽象概念の理解が進んだわけです。

その結果、日本は東洋の国としては非常に珍しく、比較的早期に国語による理科、科学教育制度を打ち立てられた。現在でも、理科を日本語で教育するよう定められています。一般人の理科理解能力の高さは先人のおかげです。

今の若い研究者たちは、英語で知識、情報をやりとりすることに何も問題はないと言うけれど、それは自信過剰。語源となるラテン語、ギリシャ語に通じていない大部分の日本人にとっては、英語は外国語であり「道具」です。しかし、母語である日本語は「精神」そのものであると知ってほしい。

漢字日本語の知的伝達能力は圧倒的に高いので、今後も読み書きについては正当な言葉を充実していく最大限の努力があってほしい。

——先程おっしゃった「文化は言語と情緒、論理と科学の四要素から成る」ですね。

そうです。私たちは教科書や論文で学ぶ「形式知」とともに、経験に基づくたくさんの「暗黙知」を駆使しながら科学研究を行っています。知らず知らずのうちですが、この暗黙知は言語に根差す文化に直結しています。

科学は言語と不即不離です。日本語の科学を英語で話す人はscience、ドイツ語で話す人はWissenschaft（ヴィッセンシャフト）＝知の根源と呼びますが、実はそれぞれに思考範囲が相当違うんじゃないかと思います。

世界中の人が生み出す研究成果のうち、論文を通して正当と認められる最大公約数的な形式知を「科学知識」と呼んでいるのです。その周辺には伝承医学など、まだ形式知になりきれない独自の文化に根差す暗黙知がある。これを十分生かすことなく、英米人をしのぐのは難しいですね。

言葉が違えば認識の仕組みが異なるのは当然です。英語では太陽を「the sun（サン）」という。そして「Mercury（マーキュリー）」「Venus（ビーナス）」「the earth（アース）」「Mars（マーズ）」「Jupiter（ジュピター）」「Saturn（サターン）」「Uranus（ウラヌス）」「Neptune（ネプチューン）」と、地球以外の惑星をローマ神話の神々の名前で呼んでいるわけです。

一方、われわれが水星、金星、火星、木星、土星と呼んでいる名は、曜日と同じように、中国の五行説に由来している。

だから、西洋の子供と、中国や日本の子供たちが宇宙にはせる夢、思い、これは絶対に違うと思います。

――美の女神ビーナスと金星では、イメージは全く違いますね。

科学的事象を漢字で認識し生かせるのは、もはや日本人と中国人しかいない。このかけがえのない宝物の大切さを訴えたいのです。

われわれはカナ語でなく漢字熟語で考えている

――それでやはり、「カタカナ術語はいかん」と。

そう、絶対に。「横書き」が前提条件になりますが、地名や人名などの固有名詞は原語で書くか、適切な音訳でも許される。だが、外来術語は意味を持つ言葉なので、翻訳してもらわないと理解できません。

例えば大隅良典博士がノーベル賞を受けたオートファジー。一般人で分かる人がいますか。原語の autophagy のままか、「自食作用」でないと誰も理解できない。

これは社会の全ての営みに関わります。科学技術的な用語については、科学教育行政、教育界、研究界の怠慢ですが、法律用語、行政用語も同じく無神経です。報道関係者も真剣に考えてもらわないといけない。もちろん教育新聞にも、その名前からして大きな責任がある。

――はい。われわれにも、まさに……。

「漢字かな交じり文」は日本の雑種文化の特徴ですが、安易に流れてはいけません。言葉、特に話し言葉は時代と共にあり、すでに定着しているものは仕方がない。しかし文化庁の国語に関する世論調査によると、音訳のカタカナ単語の理解度は全く不十分です。日本人の多くが日本語に関心があり、大切にしたいと思っている。にもかかわらず、日本の知性に責任を持つはずの行政官、大学人、企業の指導者、教育新聞を含む報道機関、出版社が正しい翻訳語を使わないのはどうしたことか。大学教育に関わった私自身も加担者の一人として反省している。

なぜ「指針」という立派な言葉があるのに、ガイドラインと言うのか。「作業部会」でなくワーキンググループ、「意見公募」がパブリックコメント、「追跡調査」がフォローアップになるのか。昨今の「インクルーシブ教育」も、すぐに教育新聞が正しく翻訳しないといけません。

これは学校に限らず、本当は日本社会全体の教育問題です。放置すれば、破壊的な結果をもたらします。

化学や物理学など昔から長く続いてきた分野は、まだ健全で研究の水準も高い。しかしここ三〇年ほどで発展した生命科学分野では、専門家以外には意味が通じないカタカナ術語が氾濫しています。これでは「理科離れ」が起きるのは当然です。

私たちは漢字熟語で抽象概念、具体概念を認識しています。個人的に英語が少々使えても駄目です。国の指導者たち、特に教育界は自国の将来をどう考えているのか。私はその責任感の欠如に本気で怒っているのです。

人工知能時代に備える

――人工知能（AI）と教育の関係については、どうお考えですか。

ＡＩはどんどん進歩と進化を遂げます。論理解析や知識集約的な問題、画像認識、音声認識などで圧倒的な能力を発揮するのは間違いないが、一体どこまで進むのか。科学者たちが想像するには、ＩＣＴなど情報技術が発展して、時間と距離の制約を取り除き、実社会とサイバー社会が溶け合った「超サイバー社会」になる日が必ず到来する。

それは大きな恩恵がある一方、人々が恐れているのは、二〇二五年には現在の職業の半数程度が消失すると予測されるので、早期の準備教育が必要だということですね。そして私は、ＡＩによって代替される中には、科学研究の分野も含まれてくるのではないかと考えています。

科学者は傲慢で、自分たちの創造性は侵されるはずがないと言うけれど、私はそう思っていない。科学は自然原理の上に立つ理路整然とした学理ですから、このままでは相当に危ういと思います。容易に予測される進展を求めるのではなく、真に創造的でなければいけない。さっき言った暗黙知を強くしないと、形式知だけでは将来絶対にＡＩに負けるでしょう。

機械は壊れることはあっても間違いを起こしませんが、人間はしばしば愚かな間違いを起こす。しかし、そこにこそ創造の機会がある。つまり人間の本質を認識し、尊重することが大事でしょう。ここに若い人たちの本当の英知、思想が必要です。

そしてやはり、人間は謙虚でなければいけない。その倫理を教育で培って、人工知能や未来の生命技術に備えるということだと思います。

FUTURE EDUCATION!

#02 ブレイディみかこ

「誰かの靴を履いてみる」こと

多様な社会を生きるための想像力

ブレイディみかこ　1965年，福岡県生まれ．県立修猷館高校卒．96年から英国ブライトン在住．英国で保育士資格を取得し，「最底辺保育所」で働きながらライター活動を開始．2019年に『ぼくはイエローでホワイトで，ちょっとブルー』(新潮社)でＹＡＨＯＯ！ ニュース本屋大賞2019ノンフィクション本大賞等を受賞．

いじめも人種差別もけんかもある、分断された英国社会の縮図のような「元底辺中学校」に通う息子との一年半を、ノンフィクション『ぼくはイエローでホワイトで、ちょっとブルー』でつづったブレイディみかこ氏。だが格差や社会の分断は〝対岸の火事〟ではない。英国で保育士として働いてきたブレイディ氏は「日本でも格差や差別、社会の分断が起きており、英国の通った道をたどりつつある」と警告する。分断に陥らず、多様性を尊重する社会を生き抜くためのスキルと、それを育む学校や保育園の役割とは——。（聞き手・教育新聞編集部長 小木曽浩介、松井聡美）

日本には「シティズンシップ教育」が足りない

——『ぼくはイエローでホワイトで、ちょっとブルー』では、「元底辺中学校」で息子さんがぶつかるさまざまな壁に、親子でどう向き合ってきたかがつづられています。英国と日本の学校には、どんな違いがありますか。

英国の中学校は一一歳で入学し、一六歳で卒業するまでの五年間通います。また、公立の小中学校も選択制です。全国一斉学力テストの結果や、生徒一人当たりの予算などを基にして作成された学校ランキングが公開されているので、子供の就学年齢が近づくと、ランキング上位の学校近くに引っ越す家庭も多くあります。

日本の学校が今どうなっているのかを私は実際に見ていませんが、それでも明らかに英国の教育と違うと思う点がいくつかあります。

一つは英国のシティズンシップ教育のようなものが、日本にはほとんどないと聞いています。議会政治の在り方といったような知識的なことは日本でも学んでいるかもしれませんが、英国のシティズンシップ教育では、自分たちでプロジェクトをつくるなど、実地的なことも多く学んでいます。

ＬＧＢＴＱやアルコール依存症、ドラッグ依存症などについても詳しく学びます。息子の中学校では、実際に依存症になって回復した人に学校に来てもらって直接話を聞くなど、かなり突っ込んだところまでやりました。

また、試験でも、例えば「最近の学校ではレイシズム（人種差別）について教え過ぎていると、○○教授が言っている。君はこの問題に賛成するか、反対するか。そのどちらかを書いて、その理由を述べよ」といった問題が出ます。

こんなの大人でもなかなか論じることが難しい問題ですが、それを十二、三歳の子供に書かせるのです。これは論じるテクニックの勉強にも、論理的に考える訓練にも、自分の考えを述べる訓練にもなります。

二〇一九年の英国の総選挙では保守党が勝利を収めましたが、総選挙と同じ日には、学校で生徒たちに投票させる「スクール総選挙」をやっていました。その前週のシティズンシップ教育の授業で、生徒たちは主要な党のマニフェストを勉強しています。先生に分からないところを質問したりして、話し合い、投票を行った結果、息子の中学校の「スクール総選挙」では、労働党が大勝しました。

大人とは違う結果になったわけですが、息子は「大人はちゃんとマニフェストを読んでないんじゃないの?」と言っていました。でも、「それって本当かもね」と、私も思いました。

もう一点、英国の中学校には「ドラマ(演劇)」という教科があります。これは、別に俳優を育成しようというものではなく、自分の言いたいことを効果的に主張する方法や、あるいはコミュニケーション能力を向上させるための教科です。自分の感情を他者に伝える方法を学んだり、役を演じたりすることで、他者の気持ちを理解することを学びます。

このように英国の学校教育では、いま本当に必要な社会問題を子供に教えたり、一緒に話し合ったり、自分が考えていることを効果的に言葉にして伝えることを学びます。日本は、そうした学びがなさ過ぎるのではないでしょうか。

こうした教育を受けているから、息子は普段からさまざまなことについて論じます。そういう子供は日本ではなかなか育ちにくいでしょうし、もし育ったとしても周りからたたかれてしまうのではないかと思います。

保護者が眉をひそめても生徒を応援する先生

――本の中に出てくる印象的な場面に、学校のクリスマスコンサートで痛烈な社会風刺のラップを披露した生徒に、教員たちが「迷いのない拍手」を送ったというエピソードがあります。私たちの感覚だと、教師も言葉遣いや表現を気にしてしまいそうですが……。

その生徒のラップの歌詞には、いわゆる汚い言葉も入っていました。「こういう歌詞を学校の音楽会で歌っていいの?」というような内容を歌っていたわけで、実際、半数の保護者は不快感をあらわにしていました。

日本人の感覚だと、そうした状況で先生が拍手したり、喜んだりできないと思います。実際に私もそう思いました。でも息子の中学校の先生たちはなんの迷いもなく、彼を「よくやったね、I'm proud of you!」と褒めたたえていたのです。

眉をひそめる保護者がいようが、誰がなんと言おうが、先生たちはその子を応援している。あの拍手からはそれが伝わってきて、私は心の底から感動しました。

ラップを披露した彼は、非常に苦しい境遇で育ってきていて、いまもそうです。でも、何があろうと自分を応援してくれる、「よくやったね！」と言ってくれる人がいるということは、彼の将来にものすごい痕跡を残すと思うんです。世間体なんて気にせずに自分のことを応援してくれる大人がいないと、彼は社会を信頼できる人間にならない気がするんですよね。

日本でもいろいろな保護者の方がいると思います。本当はもっと能力があるのに、親や世間に押さえ付けられている子供もいると思います。学校や社会のルールに合わないこともあるかもしれないけれど、その子のためになると思ったら、その子を信じ、応援してあげてほしいですね。

——ブレイディさん自身は、印象に残っている教員とのエピソードはありますか。

私自身、高校時代の恩師に助けられて、いまがあります。私は福岡で生まれ育ちました。中学校はいわゆる荒れた学校で、貧しい家庭の子や問題のある家庭の子が多く、私もそうだったので、馴染《なじ》んでいました。ところが、進学校に進んだ高校時代はものすごく浮いた存在になりました。先生にも反抗的な態度ばかりとっていて、例えば授業をサボったり、嫌いな教科のテストを白紙で出したり、好き放題やっていましたね。

テストを白紙で出すと時間が余ります。それで答案用紙の裏に、自分がその時に読んでいた本の著者について書いたり、適当に文章を書いたりしていたんです。それを現代国語の先生が面白がってくれて、高校二年、三年と続けて担任になってくれました。

その先生は、私の家にも何度も来てくださって、「たくさん本を読んで、大学に行って、君は文章を書きなさい」と私や親に熱心に伝えてくれました。

結局、嫌いな教科の勉強をしたくなかったから、私は大学には行かなかったけれど、いま、回り回ってこういう仕事をしている。やっぱりあの時に先生の励ましがあったということは、大きいんです。

いまでも思うのですが、先生は私のことを信頼してくれていた。そこまで信頼されて応援されると、こっちもあまり授業をサボったりできなくなります。ちゃんと高校を卒業できたのも、先生のおかげだと思っています。こういう関係ができれば、たとえその時にはその子が伸びなくても、いつか伸びる時がくると思うんです。私なんか、四〇年もかかりましたけれど。

子供の時に自分を応援してくれた人、支えてくれた人、信じてくれた人のことは、大人になっても忘れないものです。

教育困難校にこそ、理念を持つ教師が集まる英国

――日英の教員の違いについて感じることはありますか。

英国では、社会運動をしていた人が貧しい地区に移り住んで学校を立ち上げるなど、昔からそうした動きが連綿と続いています。問題のある家庭の子や貧困層の子などが多く集まる、いわゆる「教育困難校」には、理念を持つ優秀な先生が集まる傾向があります。

私たち家族が住んでいる地域も、一般的には「荒れている地域」と呼ばれています。息子が通

っている中学校も「元底辺中学校」ですが、社会問題に対する意識が高く、熱意のある先生が多いと感じています。

――ブレイディさんが以前働いていた託児所の創設者アニーさんは、ブレイディさんの「師匠」として、よく著作に登場します。アニーさんも、そうした志を持った方だったのですか？

そうです。アニーは地元では伝説の幼児教育者で、もともとモンテッソーリ教育を勉強した人です。

モンテッソーリ教育の創設者であるマリア・モンテッソーリは、貧しい家の子供と裕福な家の子供には学力や発育の格差があるので、その格差をなくそうとローマのスラム街に学校を作りました。これまでと違う教育法で効果的に発育を促してみようと開発した方法です。

それが、時代が流れ、いつの間にか裕福な家の子供たちがもっと伸びていくための教育のようになってしまっている。私の師匠であるアニーは、モンテッソーリ教育が創設者の理念とは違うところにいってしまっているから、原点にかえろうと英国の最貧困地区に無料の託児所を立ち上げたんです。

アニーのような教育者が、英国には非常に多い。それは教育を「社会を変えるもの」だと思っているからです。

日本でも分断はすでに深刻

――英国社会では、人種差別や貧困などの格差による分断は大きな問題です。近年、日本でも格差が問題になってきていますが、英国ほどはっきりしたものではないように見えます。

私は、日本でも見えないところでは格差や差別、社会の分断が起きているし、かなり進んでいると思います。日本は英国の通った道をたどりつつあるという気がしています。

また、政治がかじを切って、外国人労働者を入れるようにしています。そうしたら、その外国人労働者の子供たちが日本の学校に通うようになります。つまり、どう考えても、これから日本はもっと多様な社会になっていく。

多様性があるところには、分断があります。考え方や文化が違う人たちが共生していくから、分断も対立も今後はもっと起こり得ると思います。

新潮社にて

――分断への危機感が不十分ということですね。他方、グローバル教育に力を入れる学校も増えてきています。

外から見ていると、日本では経済だけがグローバル化されていて、教育も含めたそれ以外の部分はすごくトラディショナルというか、むしろ時代に逆行しているのではないかと思えるほどです。これは、日本のアンバランスなところだと思います。

多様性は、そこに身を置いてみないと分かりません。日本人は「私の周りには外国人はいないから」と言いますが、多様性は何も人種や性的指向の問題だけではない。

今だって、考え方や信条、政治理念など、全然違う人が一緒に机を並べて勉強したり、仕事したりしているわけです。

学校にも、いろいろなバックグラウンドを背負った子供たちが来ています。ひとり親家庭の子もいるだろうし、裕福な家の子も、貧しい家の子もいる。それでもなんとかうまくやっていくというのが、多様性社会を生きる道ですし、それはもうすでにみんなが経験していることなんです。

ただ、日本の場合はどうしても全体的な「空気」を読む傾向が強いので、自分に害が及ばないように立ち回る人も多い。「空気」をみんなが作り上げて、それに従ってみんなが動いているけれど、本当はそこにいる一人一人はその「空気」には賛成していない。

「空気」は「人」ではありません。「空気」というみんなが作り上げた幻想ではなく、「生きた人間」を読んで動く方がいいのではないでしょうか。

他者を想像するのは「誰かの靴を履いてみる」こと

――本の中で、もう一つ印象的だったのが、シティズンシップ教育の試験で「エンパシーとは何か？」という問いに対し、息子さんが「自分で誰かの靴を履いてみること」と答えたエピソードです。よく似た語の「シンパシー」は私たちにも馴染み深いですが、エンパシーという言葉は何を意味するのでしょうか？

エンパシーとシンパシーは、混同されがちな言葉です。例えば英国人一〇人にエンパシーとシンパシーの違いを聞いたら、皆違う回答が返ってくるぐらい、両者の違いは難しいのです。

息子がこの話をした時に、私も英英辞書を引っ張り出して調べてみたら、シンパシーとはかわいそうな立場の人をかわいそうだと思う感情であり、考え方や理念が同じ人に共鳴するといったことだと書かれていました。どちらかというと感情的な、情緒的な動きのことです。

一方、エンパシーには、自分とは違う立場の人が何を考えているのか、その人の感情や考えを想像する能力という意味があります。

つまり、シンパシーは気持ちが動かなければそれまでですし、対象にも制限があります。でもエンパシーには制限がありません。その人に対して感情が動かなくても、その人の立場になって「どうしてこういうことを考えるんだろう？　感じるんだろう？」ということを想像してみる力であり、知的作業と言えるでしょう。

シンパシーは感情が動かない時はまったく発揮できないけれども、エンパシーは感情が動かなくても、頑張って理解しようとする。想像力という知性を与えられた人間は、エンパシーを大切にしていくべきです。


――シンパシーは情操教育の範囲だと思うのですが、エンパシーはどうすれば教えられるでしょうか。


自分と違う立場の人々や、自分と異なる意見を持つ人々の気持ちを想像してみることが必要なので、例えば演劇教育のようなことは非常に有効だと思います。

私が以前、貧困地域にある無料託児所で保育士として働いていた時、育児放棄や虐待の恐れがある家庭の子供もたくさん来ていました。その子供たちの中には、感情を表す能力が発達していなかったり、発達の方向が違っていたりする子もいました。

そうした子供たちに、例えばうれしい時にはどんな顔をするのか、どんな顔をしていると人はどういう感情なのかを教えるために、託児所の壁に笑っている顔、怒っている顔、泣いている顔の写真を貼っていました。

その写真を指しながら、「これはどんな時にする顔かな?」と問い掛けたり、「じゃあ、みんなでこの顔やってみようか」などと演じさせたりするのです。最初は演技でもいいから、感情を正しく伝えるための術を教えていたのです。

「こういう顔をしている時は、この人はこう思っているんだ」ということが分かるようにならないと、他人の靴も履けないですよね。それが、まず大事だと思います。

貧しい人のことを想像するには、貧しい人を知らなければできません。自分とは違う環境の人と付き合ったり、触れ合ったり、話をしたり、一緒に何かをする。学校教育の中でそうした機会をつくり、子供たちがもっと街に出て、普段会わないような人とどんどん知り合えるようにするべきでしょう。

本を書くよりよっぽど大変な「オムツ替え」

——ブレイディさんは保育士資格を取得後、貧困地区の「最底辺保育所」でも働かれていました。日本では、保育士や教員のなり手不足が深刻化してきていますが、日英の状況を比較してどう感じていますか。

日本財団が二〇一九年に発表した一八歳意識調査(「第二〇回　社会や国に対する意識調査」)の結果において、日本は「自分で国や社会を変えられると思う」若者は二割以下と、ダントツの最下位でした。英国と比較しても半分以下です。

英国で貧困地域に理念のある教員が多いのは、教育を「社会を変える一つの手だて」として捉えている教育者が多いからです。日本の若者が社会に興味を持っていないことが、教員のなり手不足にも関係しているのではないかと感じます。

教員の仕事は、お金を稼ぐだけではなく、それ以外の部分が大きい。教育によって子供が変わる、この国の未来をつくれるというプラスαのある職業だと思うんです。

でも、今の日本では、そのプラスαの部分に夢をみない若者が増えている。「自分が社会を変えられる」と思えない若者が多いので、教員の仕事に魅力を感じないのだと思います。

また、保育士のなり手不足は、英国も抱えている問題でして、一番大きな原因は低賃金です。私は保育士時代、三〇分で一四人のオムツを替えて、三〇分で一四人全員を寝かせていました。これが今まで自分がやってきた一番すごいことだと思っています。本を書いたりするよりもよっぽど大変な仕事で、熟練した技術が必要です。

日本の保育士の給料は仕事内容や技能に対してあまりにも低すぎで、賃金が上がれば、なり手も増えるはずです。こういうところに国がお金を使うのは、その国の未来を育てるということです。保育士の賃金をこのまま上げないのは、緩やかな自殺と言えます。

学校や保育園は社会を変えるハブ

――保育を取り巻く状況は厳しいですが、学校と同様、社会の営みを支える重要な役割を持っています。どのように持続可能なものにしていけるのでしょうか。

『THIS IS JAPAN――英国保育士が見た日本』(太田出版、後に新潮文庫)を執筆する際、日本の保育施設を見て回ったことがあります。

その時、ものすごく熱意のある保育士や、理念を持ってさまざまなことに取り組んでいる保育士に出会いました。そのコミュニティーのために何とかしようと頑張っている保育士をたくさん見て、これは英国と同じだなと感じたんです。

日本は認可保育所の場合、世帯収入や子供の年齢などに応じて、自治体が子供の入る園を割り振りします。だから、保育園の中には、裕福な子供も、貧しい世帯の子供も、いろんな子供がいます。また、子供を持つと、親は政治や社会のことをそれまで以上に真剣に考えるようになります。だからこそ、保育園は地域社会を変えるハブになり得る、すごく可能性に満ちた場所だと思うんです。

毎日オムツを替えて、寝かしつけて、おやつを食べさせて……と、目の前のことだけ見ていると埋没しがちですが、保育士は地域社会のハブで働く人間であり、コミュニティーを変えていく人間なのです。

子供を教育するということは、草の根の小さなコミュニティーを少しずつ、少しずつ変えていくことにつながっていきます。だから、目先の仕事だけでなく、ちょっと引いた目線で自分の仕事を見てみると、自分の仕事に対する考え方も変わるかもしれない。

これは教員にも同じことが言えますが、自分の仕事を通して地域社会に何が成せるのかを考えると、自分の仕事にもっともっと価値を見いだせると思います。

　そして子供を預けている保護者や地域社会の人々も、同じように引いた目線で保育士の役割を捉えてみれば、保育園の見方も変わってきますし、もっと尊重されるべき存在だということも理解されるのではないかと思います。

Ⅱ　学校のイノベーション

FUTURE EDUCATION!

#03 日野田直彦

2050年を生きるための教育

「世界を救う勇者」を育成したい

ひのだ・なおひこ 帰国子女．2014年に大阪府の公募等校長制度に応じ，大阪府立箕面高等学校の校長に着任．着任4年で，海外トップ大学への進学者を含め，顕著な結果を出した．現在は武蔵野大学中学校・高等学校と武蔵野大学附属千代田高等学院の校長を兼任．

大阪府の校長民間公募を通じて、二〇一四年に三六歳で校長となった日野田直彦氏。大阪府立箕面《みのお》高校で数々の実績を残した後、その手腕を買われ、二〇年現在は私学の武蔵野大学中学校・高等学校と武蔵野大学附属千代田高等学院で校長を務めている。「教育界のトップランナー」が考える、真のグローバル教育に必要な視点とは、そして「ポストコロナ」の教育法とは――。

三六歳で民間人校長に挑戦

私は一〇歳から一三歳までをタイで過ごした帰国子女です。現地では日本人学校とインターナショナルスクールに通い、クーデター前夜のタイを経験しました。帰国後は、帰国子女受け入れ校の同志社国際中学校・高等学校に転入しました。全校生徒の三分の二がさまざまな国からの帰国子女という国際的な環境で、授業でもＰＢＬ(課題解決型学習)に取り組むなど、当時の日本の一般的な教育とは一線を画した教育を受けました。

そして同志社大学へと進み、在学中はＩＴ関連の仕事も経験しました。だから本当は、ＩＴ業界に就職した方が稼げたかもしれません。しかし私はあえて自分にとって未開拓の領域に挑戦し、そこで新しい価値を提供する道を選びたいと、教育現場で働くことを志し、塾の講師としてキャリアをスタートさせました。その後は、塾の管理職も経験しましたし、私立高校の立ち上げにも携わりました。

民間人校長に挑戦した理由ですが、公立学校では三〇代、四〇代の教員が極端に少なく、間もなく来る「教員の大量退職時代」においては、学校管理職が極端に足りなくなることが当時から分かっていました（すでにその傾向は表れ始めており、各都道府県では「再任用校長・教頭」が急速に増え始めています）。そのため「三〇代でも校長はできる」というモデルが必要だと感じていました。海外では珍しい事ではありません。日本でも大量退職時代の到来により、今後一〇年以内に、三〇代、四〇代の教員が管理職を担う時代が来ます。私は若手がどんどん管理職をやればいいと思ってきました。そこに周囲からの提案もあったので、まずは自分自身がチャレンジしてみようと、手を挙げたのです。

英語力が問題なのではない

一四年当初の箕面高校は、河合塾の模試で平均偏差値五〇前後、地域四番手の公立高校でした。

国際教養科（当時）はありましたが、海外大学進学者はゼロという状況です。私の着任早々、大阪府が実施する「骨太の英語力養成事業」の指定校になったこともあり、「ＴＯＥＦＬで成果を実証しましょう」「海外進学に耐えうる力をつけましょう」「教育課程表を変更しましょう」など、とても進んではいるものの、現実化が極めて難しい施策が示されました。

私はまず「マインドセット」、つまり考え方を変えることから始めました。日本にはいまだに「グローバル＝英語が話せること」という考え方が根強くありますが、私自身は英語力をさほど重要視していません。もちろん英語が使える方がいいのは間違いありませんが、それよりも「マインドセット」を変えることが大切です。「そもそもあなたは世界にどのように関わり、どのように貢献したいのか」という問いに自分なりの回答を見つけ、思考法や多様性を身につける力といった必要な資質をつけることが大事だと思います。

日本では中学、高校と六年間も英語を習っても「話す」ことができません。高い英語力を持っているのに、国際会議などで発言できない、議論できない日本人をこれまでたくさん見てきました。これは英語力の問題ではなく、そもそも日本語で議論する力がないからです。そこで、まずは日本語で議論できるようになることを目標にしました。

大切なのは「マインドセット」「スキル」「ナレッジ」の三つをバランスよく学び、使えるようになることだと思います。日本では「ナレッジ」の習得と、それをテストで反映できるかが問われてきました。かつては、それで十分通用した時代もありました。しかし、急速に変化するグローバル社会においては、それでは通用しないことは多くの方が実感して理解されていることと思います。

私は、英語のスキルにおいては、ディベート能力やディスカッション能力、クリティカルシンキング(分析的思考)、ロジカルシンキング(論理的思考)などのスキルを、マインドセットにおいては「グロースマインドセット(経験や努力で成長し、困難などを乗り越えられるという考え方)」「オープンマインドセット(新しいことなどを拒否せず、積極的に取り組む姿勢)」などを、それぞれ身につけることを目指して改革を進めていったわけです。

たった一つの業務命令「チャレンジしましょう」

例えば、オックスブリッジ(オックスフォード大学とケンブリッジ大学を総じて言う呼称)の入試問題では「あなたはどういう存在として覚えられたいですか?」と問われます。ハーバード大学では「あなたはどうやって世界に貢献するんですか?」と問われます。グローバルな視点においては、生きている以上、いかに「貢献するか」がポイントとなるのです。自分は何がしたいのか、何ができるのか。その問いに答えられる子供たちになってほしいと思いませんか?

そのためには、対話を重ねることです。みんなの前で発表し続けて、どんどん自分の思っていることを出す。頭の中で考えているだけでなく、きちんと自分の意見を表に出し、優しい気持ちを持って、周囲とお互いにフィードバックをすることが大切なのだと思います。

そして、もう一つ、挑戦する気持ちが必要です。「グローバル人材」と言いますが、正直、そんな人はいないと私は思っています。個人的には、「グローバル人材」ではなく、「ワクワク人材」と表現したい。ワクワクし、イキイキし続ける人間が、今の世の中には求められているのです。

日本人は能力が高い。これは世界が認めていることですし、実際に私自身、そう感じる場面が多くあります。しかし、それだけの能力があるのに、みんな自信がない。何よりチャレンジしないのが問題です。チャレンジするのを「いかがなものか？」などと言って、当事者意識もなく、評論家になって、みんなで寄ってたかって止めてしまっているのです。

私はどこであっても、業務命令は一つしか出しません。それは「チャレンジしましょう」です。教員や生徒がチャレンジして失敗したら、校長である私の責任、成功したら教員や生徒のおかげです。生徒がけがをするなどのリスクがない限りは、何をやってもOKです。

それはかつて高度経済成長期の日本において、松下幸之助氏ら多くの経営者たちが「ほな、やってみなはれ」と言ったことと同じことをしているだけです。かつての日本には、そうしたイノベーションを起こすだけのマインドセットがあったはずです。

今の日本では新しいことをしようとすると、「無理」「できない」と言い、とどめに「いかがなものか」と言いだす。挑戦したとしても、失敗すると「何でそうなったんだ」と非難する。失敗する経験そのものに価値があるのに、それをつぶしてしまっているのです。

例えば、大学の理系の実験ノートにおいて一番大事なのは失敗です。セオリー通りに実験していても、何の発見もありません。失敗の向こう側にこそ発明があるのです。失敗は最高の財産なのに今、日本中で失敗をつぶしている。これは教育だけでなく、社会全体の課題だと思います。

世界の大学生たち相手に高校生がプレゼン

また私は、多くの学校が実施している海外ホームステイ型の短期留学に、あまり意味を感じていません。「英語を学ぶ」ことよりも、「英語で学ぶ」ことの方が大事だからです。そこで箕面高校では、教育関連のベンチャー企業タクトピアとMIT（マサチューセッツ工科大学）アントレプレナーシップ・センターの協力を得て、「ボストンMITアントレプレナーシップ留学」を実現させました。

この短期留学で生徒たちは、革命的な実証実験を行っている企業のCEOや世界的な起業家たちから驚異的な話を聞き、質問を重ねました。さらに自分たち自身も、自分の考える世界観やそれに基づいた「プレゼンのプロトタイプ」を繰り返し、何度もフィードバックしてもらう経験をしました。

生徒らは時には泣きながらプレゼンの内容を考え、ハードで充実した二週間を過ごせたと思います。チャレンジし続けることで、世界は変えていけるということを、身をもって体験できたのではないでしょうか。これは現在の武蔵野大学中学校・高等学校でも続けています。

また、ハーバード大学やロンドン大学などの学生を学校に招く、三日間の「イングリッシュキャンプ」も行いました。生徒たちは世界のトップ大学の学生らと対等に、さまざまなテーマでディスカッションしました。もちろん最初は、うまく対話なんてできません。それでも生徒たちは諦めず、何度もチャレンジし続けました。

「ボストンMITアントレプレナーシップ留学」や「イングリッシュキャンプ」に参加した生徒たちは、決して英語が得意というわけではありませんでした。英検三級すら持っていない生徒の方が多かったくらいです。それでもパッションを持ち、必死に食らいついてくれました。

こうした経験を通して、生徒に「もっといいプレゼンをしたい」「もっと海外の学生としゃべりたい、議論したい」という思いが芽生え、こちらが何も言わなくても自発的に学ぶようになりました。「これがしたい」「これが学びたい」と本気で思えば、人間誰しもオーナーシップを持って行動するようになります。私はこれを目指し続けています。

二〇五〇年を生きる高校生が学ぶべきこと

今の高校生が五〇歳近くになる二〇五〇年ごろ、世界はどうなっていると思いますか。例えばナイジェリアの人口は四億人を突破すると予測されています。GDPも日本に近づきます。ちなみに二〇三五年には、インドネシアが日本のGDPに追いつきます。

今、日本では英語四技能(読む、書く、聞く、話す)を高める取り組みが進められています。しかし、世界の将来推計人口やGDP予測では、ブラジルやメキシコが上位を占める見通しなので、本当はポルトガル語やスペイン語を勉強した方がよいのかもしれません。また、二〇五〇年にはインドネシアのGDPが世界四位になる予測なので、就職や進学を考えるなら、日本や欧米よりもインドネシアの方がよいのかもしれません。

教育はこうした未来を想定した上で、考えていく必要があります。教壇に立つ人間が、激動の変化の中にあって、二〇年前の授業ノートのままの授業をしている、ということがあってはならないのです。いま述べたような未来が現実となったとき、子供が自由に進路を選択できる教育こそが必要なのです。今の社会は、そうした教育をできているでしょうか。

また近い将来、大学受験がCBT(Computer Based Testing)に切り替わっていきます。それを想定し、高校教育も変えていく必要性があります。

あと一〇年もたたないうちに、国語も四技能に分かれるでしょう。英語と国語は、教育課程上、「言語」という枠組みに変わる方向で議論が進んでいます。そこで武蔵野大学中学校・高等学校では、英語と国語の教員による合同プロジェクトチームを編成しました。

具体的には精読の授業を半分まで減らし、ネゴシエーションやプレゼンテーションを取り入れて、海外では必ず習得する「アカデミックスキル」「クリティカルシンキング」「ロジカルシンキング」などが身に付くようにします。

また、これからの時代、学校経営は生徒と共に進めていくのがよいと思っています。三年後には、職員会議に生徒を参加させる計画も進めています。

「ポストコロナ」はオンライン×リアル授業

武蔵野大学中学校・高等学校では新型コロナウイルスによる長期休校から再開した後、リアル授業とオンラインコンテンツの両方を活用して授業を行っています。そうする際に生徒らには、「一緒に授業をつくっていこう。こうした授業形態は初めてだから、われわれ教員も答えを持っていない。君たちからも、どんどんフィードバックしてほしい」と伝えました。

オンラインコンテンツは遠隔授業期間から活用していましたが、学校再開後は時間割に落とし込み、生徒が学習ペースをつかみやすいようにしました。いつまでに何ができて、どのくらいのペースでやれば終わるのかを分かるようにすることで、生徒の不安をなくせます。

コロナ危機のような大きな問題が起きて世の中が変わるとき、どのような形でも正解はありません。それぞれの学校の実情に合わせて対応することが大切で、みんなでアイデアを出し続けていくべきです。

今後は、「何を」「どう学び」「どのような力を付けるのか」を明確にしていくために必要な学校・授業システムの構築を、ゼロから考えていくつもりです。例えば英語の文法や数学の基本的な計算・理解・演習の部分など、基本的な学習にはオンラインコンテンツを活用すればいい。本当の意味での「オンラインとリアル授業の融合」です。オンラインの特性、リアル授業の特性についてきちんと定義し、そのベストミックスを探るのです。

オンライン学習は、生徒一人一人の学びの進捗や度合いが分かる以外にも、例えば問題に取り組むペース配分や時間帯などから、生徒の性格や学習環境も浮き彫りになるメリットがあります。リアル授業だけの場合と比較すると、生徒の学習に関して集められる情報量が全く違います。オンライン学習を取り入れたことで、生徒への理解がより深まりました。

コロナ危機による全国一斉休校を受け、「今後の教育のあるべき姿」が見えてきたといえるでしょう。今までの教育はリテラシーをたたき込み、インプットすることが中心でした。今後は、いかにアウトプットするか、また、お互いにフィードバックして、社会や組織、チームをよくするためにはどうすればいいのかを考えていくべきです。

勉強は自ら主体性を持ってすることであり、生徒がオーナーシップを持つことが大切です。われわれ教員は、生徒の自律性を促すサポーターであり、ペースメイクするのが仕事。生徒が常に自分たちで問題解決するために何ができるかを、考え続けなければいけません。

勇気を持って世界を冒険してほしい

私の使命は〝世界を救う勇者を育成すること〟です。だから講演に呼ばれる際、プレゼン資料の最後の絵は『ドラゴンクエスト』にしています。『ドラゴンクエスト』や漫画の『ONE PIECE』は、よくできています。登場人物が実に多様性に富んでいる。

これらの登場人物と同様、子供たちには、自分の戦いのフィールドで得意なことをやってくれたらいいと思うんです。これまでもさんざん生徒に言ってきましたが、たとえハーバード大学に行ける学力を持っていて合格を勝ち得たとしても、行きたくなければ行かなくていい。すし職人になったほうが世界に貢献できると考えるなら、それを実現するほうが本当に素晴らしい。

大きな社会を変えることは、誰もが難しく感じます。でも、自分ができる目の前の、いま最大限のこと、誰かのためにできることに取り組んでいれば、それが世界平和に繋がるのではないでしょうか。

そもそも日本には、松下幸之助氏や本田宗一郎氏のような、いい意味で突き抜けた人たちが数多くいました。現代の子供たちも、挑戦さえすれば、どんな世界でも活躍できる力を持っています。だから、もっと勇気を持って世界を冒険してほしい。そう強く思います。

(編集部長　小木曽浩介、松井聡美)

FUTURE EDUCATION!

#04 中原淳

アクティブな学びは組織が生み出す

学校と社会を「見える化」でつなぐ

なかはら・じゅん 北海道生まれ．2018年4月から立教大学経営学部教授．専門は人材開発，組織開発．「大人の学びを科学する」をテーマに，企業・組織における人々の学習・コミュニケーション・リーダーシップを研究する．

働き方も学び方も大きく変わろうとしている。企業の人材開発を専門に研究してきた中原淳教授は、そのフィールドを学校にも広げ、「サーベイフィードバック」によるカリキュラムや働き方の「見える化」を進め、教師自身による学校組織の改革を支援している。グローバル化する社会を生き抜いていく人材を育てるべく、変わりにくいと言われ続けてきた学校が、アクティブな学びを創る組織に生まれ変わるための手法に迫る。

出発点はビジネスパーソンの学びの科学

僕の研究は幅広く捉えた「人材開発」で、いまは「自分から学びを続けていく生徒」が育つ高校にも焦点を当てています。研究のベースは「ビジネスパーソンが働く職場で、かれらがいかに学ぶのか」ということです。職場は「利潤を生み出す場」である一方、多くの人々にとって、人生の中でも多くの時間を占める「生活の場」であり、「自己実現の場」でもあります。

ビジネスパーソンは一般的に、すごく長い時間を企業という組織の中で過ごしますよね。最近は長時間労働の是正やテレワークも推進されるとはいえ、それでも恐らく、生涯で六万八〇〇〇時間くらいを職場での仕事に充てています。それだけの時間を、働きがいも学びがいも感じられないのではやっていけないでしょう。

だから僕の研究では、「職場で仕事をすること」を、いかに「学び」と「気付き」がもたらされる場にするかに焦点を当てています。

ビジネスパーソンにとって喫緊の課題は「日々の仕事の中で、いかに学ぶか」という点です。しかし、それはこれまで、ほとんど研究されてきませんでした。対象が企業というだけで、「学習研究」などの教育学の学問分野の範囲を超えてしまうからです。

一方で、経営学からしても「世界観」がまた違います。経営学で人間というのは、いわゆるヒト・モノ・カネという三つの資源の中で、最も当てにならないとされています。非常にマネージが難しい。なぜか。一番の理由は「今日はやる気があるけど、明日はそうでもない」というように、ヒトという資源には、パフォーマンスや価値に、日々、バラツキがあるという点です。

企業経営にとって、一万円は昨日も今日も一万円で、明日も一万円でなければ困る。でもヒトという資源は、二日酔いだったら一〇〇〇円分になってしまうし、逆に調子が良ければ二万円分にも三万円分にもなるというふうに、振れ幅が大きい。かつ、出入りがあるので、いつ離職してしまうか分からない。

経営者側にとってヒトという資源は、最も管理しにくいのです。だから組織は、なるべく属人化しないような仕組みを整えるというのが、経営研究の根本的な考え方なんです。

でも一方で、新橋のビジネスパーソン一〇〇人に「いまの悩みは何ですか」と聞いてみてください。多分、そのうちの九〇人ぐらいは、人間関係やモチベーションの問題、つまり、ヒトにまつわることで悩んでいるはずです。僕はそこを研究したいのです。経営学的には「周縁」でも、組織を生きるヒトにとっては「リアル」な問題を追究したい。

会社に入ってからでは遅すぎる

そうやって一〇年以上、企業の研究に取り組んできました。企業で人事制度などを作る手伝いをしたり、企業研修も山ほどやってきたり、経営者ともたくさん話したりした中で、企業内教育や人材育成の限界を痛感しました。

端的に思っているのは「四〇歳ぐらいになってからリーダーシップ研修を受けるのは遅すぎないか」ということです。なぜ僕が、三〇代から四〇代後半の人にリーダーシップの取り方やチームの組み方を語らなければならないんだろう。そんな基礎的なスキルは学校段階でやってきてほしいし、変化の速い現代社会では、そうでなければ間に合わないと思うんです。もっと言うと、社会に出てから身に付けるのでは遅いことが多いのです。

ある経営者が「いまの事業展開のスピードでいくと、四〇歳で執行役員、三五歳で部長、三〇歳で課長を作らなければ、グローバルな動きの中で間に合わない」と言っていたのを、僕は忘れられません。そういう人材育成をしていかないと、世界のグローバル企業と戦えないという意味です。ということは、二五歳で係長になっていなければいけない。さらに、もう大学生では、ある程度のリーダーシップの基礎は分かっていなければいけないことになる。そういう変化の速い社会に向けて、もっと学校で、仕事の世界の中で必要になるスキルを前倒しで経験してほしいと思います。それはもちろん、企業のためでもありますが、これからを生き抜く若い人たちのためです。

企業も精いっぱい、人材マネジメントの体制を整えようとしています。ただ、いまのままだと社会や市場の変化が激しくて、人材育成が間に合わないのです。そして仕事についていけなくなるのは、未来の大人である現在の子供たちです。

そもそもいまでも、学校から会社や組織に入ったときに、すごく「段差」がある。学校とリアルな社会では賢さの定義が違います。高校までは、教科書の範囲内で問題が与えられ、一人で解ければいい。これが学校での賢さです。でも、リアルな社会は違う。高度に情報化している現代社会では、自ら解くべき課題を設定しなければなりません。与えられた問いを一人で解くことは賢さではなく、自分で問いを設定し、多くの人々を巻き込みながら解くことが、リアルな社会における賢さなのです。

学校から仕事へのトランジション

僕は、学校と仕事、それぞれの領域がよりスムーズに接続し、ちょっとずつトランジション(移行)できる社会を目指そうとしています。最近、学校の問題に再び取り組み始めたのですが、それはまさに、この問題意識が僕の中で大きくなっていったからです。

さんざん企業の研究をやってきて、かつ、これからもその最前線に立っていく中で、企業の人材開発だけを探究していてはだめだと思ったんです。そのような思いを持ったいまから一〇年ほど前、京都大学で「アクティブラーニング研究」を行っていた溝上慎一教授(現・桐蔭横浜大学学長)と出会い、意気投合して、共同で「大学生研究」というのを始めました。このとき、僕の立場からすれば、企業の中だけの研究にとどまらず、大学から企業に至るプロセスにまで、射程を広げたんですね。

研究ではいくつか衝撃的な結果も出ましたが、心に残っているのは、「大学に入ったときのキャリア観は、高校時代にすでに規定されていて、ほとんど変わらない」という知見です。そのときに強く思いました。「もしかすると、社会で求められる力を身に付けるのは大学からですらも「遅い」かもしれない」と。

そのころから、いつか自分の研究の射程に高校も入れることは、頭の中に意識としてあったんです。ただ、そんな研究を始めようにも足掛かりがない。きっかけが見いだせないまま、時が過ぎていきました。

そんなとき、二〇二〇年度以降実施される学習指導要領で、アクティブ・ラーニングが重視されるというニュースが流れました。大学入試が、より思考力を問うものに変わるとも。それを聞いて「これはいい機会だ」と直感したのです。

僕がやりたいことは、アクティブ・ラーニングを生涯にわたって推進できる人材、すなわち、アクティブ・ラーナーを学校で育てることだと思いました。長期的に見れば、企業の中に入っても学び続けて、変わり続けられる人、積極的に人々に関わり、さまざまなフィードバックをもらえる人が求められるだろうということです。

具体的には、日本全国の高校におけるアクティブ・ラーニングの実践の実態を、質問紙と定性的な取材で調査し、その結果をウェブ上で公開する「マナビラボ」プロジェクトを手がけることになりました。これからの高校を考える上で、いまの高校がどうなっているのか分からないのに、高校の学びをどうしろと議論するのはおかしい。だから、まずは実態をデータで明らかにしようとしたのです。

企業研究では、適切な課題解決は「見える化」から始まります。これは高校研究でも同じです。このプロジェクトにおいて、とりわけ力を入れているのは「データでものを語る」という一点です。この国の政策決定は、どこか「データ」よりも「空気」で決められているような感覚があります。しかし、データで見える化できないものはイメージできないし、エビデンスなしに新たな物事を適切に構想することはできません。これは僕の信念です。

名刺を持たない教師

高校現場に関わるようになって見えてきた問題もあります。まず現在の高校の組織としてのゴールが、「国公立大学・難関私立大学に生徒を何人入れたのか」になっていることです。大学全入時代にあって、この状況は僕にはピンと来ません。

もちろん、大学に合格することは重要です。しかし、それは入り口に立っただけにすぎず、これからの世の中は、さらに「その先」が問われるようになります。つまり、大学入学はだんだん前提となり、さらにその先で、社会でどのような活躍をするかが、学校の価値になると思います。

これから私たちが考えなくてはならないのは、「子供たちが将来、社会でどういう人材になるのか」です。高校であろうと、大学であろうと、それを見据えたカリキュラムが求められます。

もう一つの問題は、それだけ学校と社会との接点が重要であるにもかかわらず、社会と接点を持つ高校や教師が少ないということです。大学の教員は就職という出口に近いので、まだ社会が見えている。しかし、高校ではそれが圧倒的に不足している印象があります。

例えば名刺を持たない教師が多いこと。日本社会において、名刺を持たずに仕事ができるというのは、社会の人々とあまり出会いがないことを意味します。「子供たちが将来、社会でどういう人材になるのか」を考えていくためには、まずは教師が、社会に対して開かれていく必要があると思います。

学校改革を促す「サーベイフィードバック」

僕が学校現場に入って取り組んでいることは二つあります。

一つ目は、前述の「マナビラボ」プロジェクトとして、学校のカリキュラムの実施状況、成果を見える化することです。その上で、教師にフィードバックし、対話をしてもらって、未来を構想するという、この四つの工程を繰り返していきます。

多くの学校で、生徒たちの学習達成度やカリキュラムの消化状況を見える化すれば、教師はいろいろ話し合って「じゃあどうしようか」と議論を始められるポテンシャルを持っています。このように、サーベイ(調査)によって現状を見える化して、組織改善を促していく手法を、「サーベイフィードバック」と言います。

もう一つの取り組みとして、横浜市教育委員会と協働で「学校の働き方改革」をテーマにした研究も行っています。こちらは、学校現場の働き方の現状を見える化して、働き方を見直したいと考えている教師に知見を提供し、話し合いの中でその学校に適した働き方改革を実行してもらう試みです。

例えば、僕たちが調査したところ、二〇一七年の横浜市の公立小中学校の教師の平均労働時間は一日あたり一一時間四二分。長時間労働になればなるほど、健康に不安を感じている人が多くなっていました。また、「教材研究の時間が足りるか」「新学習指導要領について理解する時間があるか」を見ていくと、全部、労働時間が長くなればなるほど、教師自身が学ぶ時間が持てないという結果になっています。

アクティブ・ラーニングを含め、新しいことを始めるには、経営学的に言えば学習資源が必要です。つまり、学ぶための時間、変わるための時間を確保しなければならないわけです。経営学では「スラック」や「余剰資源」と呼びますが、現在の教育現場にはこうした「変わるための余裕や資源」がなさすぎるのです。

小学校での英語教育やプログラミング教育など、学校には新しい教育がどんどん加えられていきます。しかし、それらを教師が学ぶ時間がどこにあるのでしょうか。今後は行政や研究者も、教育改革を行うには「変わるための資源をどこから確保してくるのか」もセットで提案しなければいけません。

働き方の「外科手術」と「体質改善」

企業も学校も長時間労働の問題は深刻ではあるのですが、学校固有の課題もあります。例えば、横浜市の調査では「時間外業務を減らすことに対して、子供に罪悪感やためらいを感じますか」という項目に対し、多くの教師が「感じる」と答えています。労働時間の削減に必ずしも肯定的ではないのです。

労働時間を削減することは子供のためにならないと考えるから、教師は罪悪感を抱くわけです。教師の仕事はそれだけパブリックミッションを帯びている。だから十把ひとからげに、労働時間の削減だけを主張しても響かないのです。こうした罪悪感にも理解を示しながら、物事を進めないと絶対にうまくいきません。

「いい先生」が自分の時間を犠牲にして、教壇に立ってくださっている。そんな中で、企業と同じように「長時間労働を是正しましょう」「夜七時にはみなさん帰ってください」では、学校現場は白けてしまう。この問題は本当に、慎重にやらないといけません。

その上で、長時間労働を減らすためには、タイムカードによる時間管理など、「時間を意識してもらう施策」は絶対に必要です。ただ、それは短期的な課題を解決するための「外科手術」です。同時に漢方薬を飲むように「体質改善」も行わなければなりません。つまり、「残業を減らしたら教育の質が下がる」という懸念や、「残業を減らすと子供に申し訳ない」という教師の罪悪感を見落とさず、このジレンマを少しずつ解いていくしかないのです。

体質改善を進めるポイントは「組織ぐるみ」で行うことです。長時間労働の是正は、必然的に組織の課題を見える化して、対話しながら、その改善に取り組むことになります。そして実施するときは、まず組織のキーパーソンから順を追って働き掛けるようにします。

ちょうど横浜市がやったように、教育委員会が学校で何が起こっているかの調査をすることから始めるべきでしょう。そうして見える化したものを学校組織に少しずつ開示していきます。まずは校長や管理職にサーベイフィードバックをして、本当に変えたいのか決断してもらう。キーパーソンが動かない組織変革はありえません。管理職が本気なら徐々に下に落としていって、「何かやり方を考えてみて」「上は応援するけど邪魔はしない」といったスタンスで進めていくのです。

こうした、トップダウンでも、完全なボトムアップでもない緩やかなやり方が重要です。日本の組織のマネジメントスタイル上、その方がうまくいきます。日本の組織では「ミドル」が「トップ」と「ボトム」を「アップダウン」しながら、組織を緩やかに動かす「ミドルアップダウン」が大勢だからです。

再び学校現場に入った僕の役割は鏡になることだと思っています。教師が自身を振り返ったり、学校の未来を構想するときに必要となるような「自己を見つめる鏡」を提供していきます。そして、あくまでも学校を変えていくのは、当事者である教師自身です。

（藤井孝良）

#05 遠藤直哉

進学校でも受験向け授業はしない

福島を教育で復興させる意志

えんどう・なおや　会津若松ザベリオ学園教頭．福島生まれ，福島育ち．初任校の実業高校において複数名の難関大学合格者を出し，その後は県内有数の進学校で生物科教諭として教壇に立つ．2010年度，文部科学大臣優秀教員表彰．

教育で福島を復興させる――。福島県の県立高校で生物科教諭として長年教壇に立ってきた遠藤直哉氏は、東日本大震災をきっかけに大きく教育観が変わった。進学校においても受験向けの授業はせず、「何を教えるかではなく、どう興味を持たせるか」を重視した授業や、「その子にしかできないこと」に導く生徒指導を行ってきた。遠藤氏の実践から見えてきた、未来を生きる子供たちに本当に必要な学びについて迫る。

授業は「問い」を深める場に

これまで二〇年近く、福島県の公立高校で生物科教諭として教壇に立ってきました。教員人生では進学校で指導する期間が長かったのですが、私は進学校でも受験向けの授業はしていませんでした。

例えば、二〇一九年度まで勤務していた県内有数の進学校である福島高校では、一年生の授業を「反転授業」にしていました。

反転授業とは、従来の授業形態を反転させたものです。普通は授業を受けたのちに、宿題などで復習をします。しかし、反転授業の場合、まずビデオ講義等を視聴して予習した上で、授業を受けるのです。

私が行っていた反転授業では、まず生徒は学校のホームページ上に上がっている私の授業動画を自宅で見て予習してきます。そして、動画を見て気付いたことや質問を授業前に黒板に書きます。授業では、私がその質問に答えたり、生徒と一緒に考えたりしながら学んでいくのです。

進学校で普通の授業を全くしないなんてことが許されるのか、動画を見てこなかったら授業にすらならないのではないかと悩みました。しかし、私は「子供たちの主体性を伸ばすためには、反転授業が必要だ」と長年思い続けていたため、二〇一八年度から思い切って取り組んでみることにしたのです。

始めた当初は「普通の授業をしてください」という生徒が大半を占めました。しかし数カ月もしたら「元の授業には戻りたくない」と言うようになりました。

中には動画を見てこない生徒もいますし、黒板に質問があまり書かれない日もあります。それでも取り組みを続けていく中で、生徒たちは随分と主体的になりました。何より驚いたのが、「本質的な質問」が、毎時間出てくるようになったことです。

例えば、腎臓は必要・不必要にかかわらずいったん血液を全部ろ過して、必要なものを全て再吸収します。その割合は九九％です。それを生徒たちは「なんで腎臓はそんな無駄なことをやるんですか？　最初から不必要な一％を捨てればいいじゃないですか？」と質問してきました。

確かにそうですよね。しかし、これは過去に一度も出たことのない質問で、教員の私でさえ、「そういうものだ」と受け止めていたことです。私も考えたことがなかったから「面白いね。その質問、みんなで考えてみよう」と、生徒と一緒になって考えました。

腎臓は必要なものを選ぶことはできる。しかし、何がいらないのかは分からないから、不必要なものは選べないのではないか。そう考えると、いったん「全て捨てるしかない」ということが理解できます。こうして考えていく過程で、いろいろな仮説を考える生徒たちに対し、「じゃあ、こういう可能性は？」と私は問いかけ続けます。その繰り返しで学びが深まり、答えにたどり着いたときには、生徒たちは完全に腹落ちするのです。

このように、「本質を問う」「当たり前を疑う」質問が、毎時間どのクラスでもぽんぽん出てくる。生徒の「課題発見力」は、本当はすごいものがあります。でも、私たち大人が「こういうものだから」と教え込んでいるせいで、そうした力を奪っているのではないでしょうか。

自分で考えるって楽しい

反転授業では、メモを取る生徒もいますが、基本的には聞いているだけの生徒が多いです。授業後に覚えているかというと、忘れていることも多い。「それなら意味がない」と思うかもしれませんが、ワクワクしたり、楽しかったりした記憶が残っていれば、「楽しい教科だ」となる。それが私の狙いです。

つまり、高校一年生の段階では、「自分で考えるって楽しいんだな」とさえ思ってくれればいい。知識を頭に入れること以上にワクワクすること、勉強って楽しいと思えることが大切なのです。

また、黒板には、生物に限らず、いま生徒たちが気になっている質問を何でも書いていいスペースもとっています。過去には、「マグロってなんでおいしいんですか?」と書いた生徒もいました。こんな質問、普通の授業ではなかなか聞けないですよね。教科的には生物でも家庭科でもない。たとえ家庭科の授業で聞いたとしても、恐らく答えは返ってこないでしょう。

このようにあえて、「この授業では、何でも聞いていいんだよ」というスタンスをとることで、生徒たちはそれ以降も、他の教科においても「先生、それどうしてですか?」と聞けるようになります。これが、生徒たちのその後に大きな影響を与えるのです。

誰もが小さい頃は何でも怖がらずに聞くことができましたよね。でも、小学校の高学年以降、だんだんと質問できなくなっていく。それが高校一年次に反転授業を経験することによって、もう一度「何でも聞いていいんだ」と思ってもらえると考えています。

私は日頃から「どうして?」「それってどういうこと?」「そもそも……」と思う感性を大事にしています。何事においても、当たり前を疑う思考力を養ってほしいと思っています。

反転授業を行うことで、テストの点数を心配する生徒や保護者もいますが、反転授業をしていないクラスとのテストの平均点は、ほぼ変わりません。にもかかわらず、生徒たちの本質を問う力や考える力がずっと育つ。こうした結果からも、今の教育が知識の詰め込みに走り過ぎていることが分かります。「何を教えるか」ではなく、「どう興味を持たせるか」を考えることで、生徒は変わるのです。

進路指導は大学ではなく「どう生きたいか」

進路指導において私が大切にしていたことは、大学をゴールとするのではなく、その先にある「その子にしかできないこと」に導くことでした。

生徒には、「君たちがどういう生き方をしたいのか、まずそれを見つけないことには大学に行く意味はない」と伝えていました。その意味では、キャリア教育に力を入れていると言えますね。キャリア教育とは、つまり自分の生き方の問題です。自分がどんな力を持っていて、それをどう生かすのか、生徒自身が考えなくてはいけません。そうした進路指導をしていました。

例えば、法学に興味を持った生徒がいたとしても、「ああ、そう。じゃあ法学部だね」で終わらせません。

私　「なんで法学なの？」

生徒「私、少年法に興味があるんです」
私「少年法のどこに？」
生徒「最近、凶悪犯罪が多いじゃないですか」
私「そうだね、それをどうしたいの？」
生徒「うーん、もうちょっと、その、法律を変えるとか……」
私「じゃあ、厳罰化が良いと思っているの？」
生徒「いや、そうじゃなくて、まずなぜそんなに凶悪犯罪が多いのかに興味があって……」

このように、どんどん掘り下げていくと、「ん？　それって本当に法学なの？」「あ、そうですね……本当にやりたいのは心理学かもしれません」となる可能性もあります。

あるいは明確に「医者になりたい」と思っているのに、成績的に不十分な生徒もいます。そういう生徒には、厳しいようですが「本当に医者になりたいと思っていないからだよ」と伝えます。なぜなら、人の命を救うのは簡単なことではないし、リスクがあることも自覚させないといけない。だから、あえて「君は、自分みたいな努力しない医者に診てもらいたいか？」と問います。すると生徒は「嫌です」と答えます。「だったら、どうしたいの？　どうなりたいの？」と問い続けることで、生徒は自分がやりたい医療、自分にしかできないことを見つけていくのです。

こうして本当にやりたいことが分かると、子供はどんどん目標に向かって努力し始めます。

また、今の子供たちに感じるのは、自分の持っている力を認識できていない子が多いことです。

マイナス思考な生徒も多いので、とにかく自己肯定感を少しでも高めることを意識しています。

自己肯定感を高めるためには、他者への貢献が必要です。他者への貢献は、形が見えなければ実感が湧きません。だから、「君がこんなふうに成長していったら、困っている人たちがこれだけ救われるんだよ」といった具合に、その子の未来における他者への貢献が見えるようにしてあげます。

教師が生徒の可能性をつぶしているのではないか

私の教育観に大きく影響を与えたこととして、大学院を卒業後に赴任した初任校での経験があります。

初任校は、福島県内の実業高校でした。やんちゃな生徒が多く、試行錯誤の連続でした。「これをやらないとテストで点数が取れないぞ！」とか、「このままじゃ大学いけないぞ！」とか、そうした殺し文句は一切効きませんでした。

そこで、一年目はノートを提出させることで点数をつけていました。「ノートを出さないと、就職に響くぞ！」と脅していたようなものです。

でも、ふと思ったのです。「これは本当に教育なのだろうか」と……。

生徒は、「興味もない、必要もないことをなぜ学ばなければいけないのか」という疑問を持っています。つまり、学問自体を「面白い」と思わない限り、前向きには学びません。だったら、生徒が「面白い」と思う授業をしようと、私の意識も変わっていきました。

私も若かったので、自分の経験や学びをもとに「大学ってめちゃくちゃ楽しいよ」というような話を、授業で生徒にたくさんしました。すると、卒業したらほとんどの生徒が就職する高校だったのに、「大学に行きたい」という生徒がちらほら出てきたのです。中には、難関大学に合格する生徒も何人か出てきました。

この経験から、生徒の「限界」は生徒自身が作っているだけでなく、保護者や教員も作っているのではないかと感じました。大人が子供たちの可能性をつぶしてしまっているのではないか。教員が諦めなければ生徒の可能性はもっと広がるのではないか。そんなことを学んだのが初任校でした。

教員人生を変えた東日本大震災

その後は県内の進学校で教壇に立ってきましたが、二〇一一年三月の東日本大震災での経験が、私の教員人生や教育観をさらに大きく変えたと思っています。

震災の翌日から、当時勤務していた学校の体育館は避難所となり、ごった返していました。そこから一カ月半、避難所運営に携わりました。

震災直後は、本当に支援物資が届きませんでした。やっと届いたのが、賞味期限切れのおにぎり。当時は寒かったので、傷んでいる可能性は低かった。しかし、避難所運営の指揮をとっていた校長に「配ってもいいですよね？」と確認すると、「ダメだ。万が一、食中毒が起きたら、どう責任を取るんだ」と……。

でも、みんな何日もの間、何も口にしていないわけです。そこで、「賞味期限が切れていますが、それでもよかったらいかがですか」と事情を説明すると、やっぱり皆さん取っていかれました。

また、避難所には、昼夜を問わず、連絡が取れない家族を捜しに来る人たちがいました。昼間は放送で呼びかけられるのですが、夜間はそれができません。家族の安否が分からずに、つらい思いをしている人がたくさんいる。

これは名簿を作らねばと思ったのですが、それも「ダメだ。個人情報を勝手に集めるわけにはいかない」と……。それでもなんとか許可をもらって名簿を作りました。

そうこうしているうちに、原発のある相双《そうそう》地区の方が大変なことになり、立ち入れない状況になっていました。支援物資を運び込めないことから、いわき地区の支援物資も私がいた避難所の体育館に集まって来ることになり、今度は物資が集まりすぎる状況に陥りました。

しかし、調べてみると、近隣の小中学校の避難所には、全く支援物資が届いていませんでした。じゃあ、そちらに配ろうと提案すると、「管轄が違うからダメだ」と……。

こうしてどこか本質からズレたことが続く状況の中で、ふと「こうした未曽有の事態が起きた時に、生徒が生き抜く力を養ってきたのだろうか」という考えが頭を過ぎりました。自分がやってきた教育は、果たして本当に生徒のためになっていたのだろうか、そんな疑問を感じたのです。

それ以前の私は、受験指導に重きを置いていました。でも震災以降は、一番大切なのは、生徒にどんな生き方をするのかを考えさせることだと思うようになりました。勉強は受験のためじゃない、大学はゴールではないということを、もっとしっかりと生徒に伝えるべきだと、自分の中で教育観が変わったのです。

避難所には五五〇人ぐらいの人たちがいて、私たち教員は交代で一日三時間ぐらいの仮眠を取りながら、家にも帰らず、風呂にも入らず、避難所運営に当たりました。原発事故の怖さも混乱も経験しました。

そんな状況だったので、もし、福島県にこのまま住み続けられたなら、「教育改革をしよう」と思ったんです。子供たちがいない所に未来はない。だから、教育改革をして、教育で福島を復興させようと考えました。

震災から約一〇年がたちました。これまで、できる限りのことはしてきたと思います。生徒が企業や大学と連携して取り組む「福島復興プロジェクト」など、生徒の主体性を引き出し、行動力を高めるような事業を立ち上げてきました。

震災後の生徒たちは、本当に熱かった。自分たちの生まれた福島をなんとかしたいと必死で動いていました。あの揺れを経験して、水も食べ物もなくて、その中で多くの人に救ってもらって、助けてもらって、今がある——。そうした実感を持っている生徒たちは、社会人になった今も福島のために頑張ってくれています。

既成概念に縛られていない大人の姿を

二〇二〇年の四月からは会津若松ザベリオ学園に、教頭として着任しました。こども園から高等学校まである新たな環境でのチャレンジとなりますが、ここで自分が目指してきた教育の意味を見極めたいと思っています。

県立の教員だろうが、私立の教員だろうが、私の思いは一つです。それは、「福島県の教育を変えたい」ということです。そのために、県立高校にプレッシャーを与えるぐらい、生徒が集まる学校をつくりたいと思っています。

そうすれば、福島県の教育を変えられるのではないか——。私立から公教育を変える方が、もしかしたら近道なのではないかと考えています。

これからどんどん時代は変わっていきます。既成概念に縛られていたら、新しいことはできません。そのために、子供たちに「縛られていない大人の姿」を見せていきたいと思っています。

（松井聡美）

FUTURE EDUCATION!

#06 木村泰子

「教員の学校」を断捨離

全ての主語を子供に変える

きむら・やすこ 大阪市生まれ．2006年4月の開校時から15年3月まで大阪市立大空小学校の初代校長を務めた．14年には同校を舞台にしたドキュメンタリー映画『みんなの学校』が公開され，大きな反響を呼んだ．

障害の有無にかかわらず授業に参加するフル・インクルージョン教育、不登校ゼロ、学級崩壊ゼロ、モンスターペアレンツゼロ――。これらは全て、木村泰子氏が大阪市立大空小学校（大空小）の初代校長として、教職員や地域の人たちと共に実現してきたことだ。学校の当たり前を問い直し続けてきた、このような大空小の取り組みが目指していたのは、「一〇年後に必要な力」を身につけることだったという。

必要なのは「働き方改革」ではなく「学び方改革」

二〇一五年三月に大空小の校長を退任し、講演活動などを通して、北海道から離島まで四七都道府県全てに行きました。講演で訪れた中には子供が自殺して亡くなってしまったり、何人もの子供が不登校の状態だったりなど、さまざまな問題を抱えている学校もありました。

今、保護者対応は大変だし、上からは学力を上げろと言われる。その上、小学校ではプログラミングも英語もやれと言われるし、そうこうしているうちに、学校に来られない子供も増えている。すでに学校も教員も限界を迎えています。

さらにこうした中、子供は何のために学ぶのかという目的がどこかにいってしまっています。現状をたとえれば、栓をしていない樽に次から次へと水が注ぎ込まれ、全部流れ出てしまっている状態です。だから、働けど働けど成果が見えない。こうした状況が、学校がブラック企業と言われるゆえんではないでしょうか。

今、日本社会には悪しき空気が充満しています。その空気を吸っているのは、子供たちです。悪しき空気を吸って大人になれば、悪しき空気を「生きて働く力」にしてしまいます。こんな危機的な状況はありません。

学校によって抱える問題はさまざまです。でもそれを改善するために、まずは「学校は何をする所なのか」という問いに、教師が自分で納得する答えを持たなければいけないと感じています。

私の答えとは、学校は「先生が教える所」ではなく「子供たちが学ぶ所」というものです。今は教師の「働き方改革」ばかりが注目されていますが、本当に必要なのは子供の「学び方改革」ではないでしょうか。終わらない仕事を家に持ち帰って、見かけ上の勤務時間を短くしても、教員は苦しくなるだけでしょう。そんな時間ありきの改革よりも、子供が学べているかどうかを考えることの方がよほど大切です。

義務教育は「二〇年後に必要な力」を見ているか

その悪しき空気を、どう変えていけばよいか。二〇二〇年以降に小中高で実施されていく新学習指導要領をきっかけに変革できるかが、ラストチャンスではないかと私は思っています。

新学習指導要領で求められている学びは、「主体的・対話的で深い学び」です。つまり、実社会で生きて働く力を付けるためのカリキュラムを作ればよいわけで、この学びの軸が今の学校には必要です。ここでスイッチを切り替えられなかったら、この悪しき空気は変わらないと思います。

私は若手教員を集めたセミナーにも、よく参加させていただいています。そこで「学校は何をする所？」と聞くと、ほとんどの先生が「学力を付ける所」と答えます。でも、「じゃあ学力って何？」と聞くと、口ごもってしまう。

そこで、「学力という言葉を使わないで、自分の言葉で学力を説明してみて」と投げかけると、「人とつながる力」「自分の考えを発信できる力」「何があっても諦めない力」「コミュニケーションを高める力」など、さまざまな意見が出てきます。

その上で、「では、あなたたちの授業は、そうした力を付けるための授業になっていますか？」と問うと、全員が「ノー」と答えます。

誰も「学力」のことを「テストで高い点数を取る力」「良い学校に進学するための力」「受験のための力」などとは言いません。それが本来の学力ではないということは、どの先生も知っているわけです。

それなのに、実際に授業でやっているのは「テストで高い点数を取る＝学力調査の結果を高める」こと、つまり「見える学力」を高めることです。なぜなら、それをやっていれば上からも評価されるからです。

でも、「見える学力」ばかりを高めようとしても、成績は上がりません。そのことに、多くの先生が気付いていない。そして結果が出ない子供たちに「何でお前たちは勉強しないんだ」と責任をかぶせる。その結果、子供たちはどんどん本来の学びから遠ざかるのです。

他方、子供たちに「学力とは何？」と聞けば、どう答えるか。残念ながら、多くが「テストで高い点数を取る力」と答えるでしょう。そういう授業や評価を受けているわけですから、仕方ありません。

でも、子供たちに「一〇年後にあなたたちは社会に出る。今よりもっと進んだ社会になっている中で、自分にどんな力が欲しい？」と聞いたら、「テストで高い点数を取る力」とは言わないと思います。子供もそんなことは分かっているんです。

点数に現れる「見える学力」は、繰り返しやれば身に付くものが多い。でも、子供たちが学校で過ごす時間は、一日八時間しかありません。その大半を繰り返しの学びに使った子供たちが、一〇年後の社会で果たして〝なりたい自分〟になっていけるのでしょうか。

日々、社会のニーズは変わります。そのニーズをいち早く察知し、フィットさせていくべきなのが義務教育です。社会のニーズに絶対に遅れてはいけないのが、実は義務教育なのです。それなのに、現状は多くの学校が「一〇年後に必要な力」を考えることができていません。

「見える学力」は後からついてくる

大空小時代、多様な社会で子供たちが〝なりたい自分〟になるために、小学校六年間で身に付けるべき「見えない学力」とは何かについて、教職員みんなで考えました。そして、次の四つの力が生まれました。

一つ目は「人を大切にする力」。これがなかったら、幸せにはなれません。「人を大切にする力」とは、どんな人とでも一緒に幸せになる力です。

二つ目は「自分の考えを持つ力」。自分の考えは人と違って当たり前。周りに左右されず、自分の考えを持つことが大切です。

三つ目は「自分を表現する力」。自分の考えを持った上で「自分はこうしたい」「こう考えている」と表現できる力も不可欠です。表現は言葉に限りません。その子によって、いろいろな表現の仕方があってよいと思います。

四つ目は「チャレンジする力」。この力を付けるためには、学校で子供たちが失敗する場をもっと作らねばいけないと思います。「チャレンジする力」は未来を創る力です。

私は「見える学力」も否定はしませんが、経験上、「見える学力」ばかりを優先すると「見えない学力」が付きません。でも、「見えない学力」を大切にすれば、「見える学力」は付いてくるのです。大空小では優先順位がぶれないよう、「見える学力」を付ける活動は時間があったらやろうと決めていました。

「学校の当たり前」を断捨離

大空小は紆余曲折の末に二〇〇六年四月に新設され、私が校長を務めることになりました。新しくできる学校なので、伝統もなければ、ＰＴＡすらない。ゼロベースから学校づくりに取り組めるわけです。こんなに楽しいことはないと思いました。

学校が始まる直前の春休みに、二五人前後の教職員に集まってもらいました。どの教職員も、その日が初顔合わせでした。

最初に私が「新しいタイプの学校をつくろう」と呼びかけ、全員でビジョンを考えようと、一枚の紙を渡しました。でも、誰もペンが進みません。

そこで、まずは雑談から始めました。小学校の六年間で、子供は幼児から中学生になる。心身共にものすごい勢いで成長を遂げ、人生の中で最も大切な空気を吸う時期です。そうした発達段階にあって、大空小では「おはよう」から「さようなら」まで、何を学べばよいのか。意見を出し合う中で、「一〇年後の社会で役に立つ力」を学ぶべきだ、という結論になりました。

〇六年当時に私たちが想定した「一〇年後の社会」は、携帯電話などがさらに進化し、歴史の年表や九九を覚える必要なんてなくなっているだろうというものでした。また、多様化がさらに進み、さまざまな人間が共生する社会になっているだろうとも考えました。だとしたら、これまでの学校でやってきた学びでは、子供たちは〝なりたい自分〟になれないのではないか。そういった一〇年後のイメージをみんなで持ちました。

でも、イメージは持てたものの、具体的なビジョンが描けない。そこで、ベテランは自分がこれまでやってきた教育、若手は自分がこれまで受けてきた教育を振り返りながら、「一〇年先に必要な力」を子供たちが学ぶ上で「これがあったらダメ」という悪しき学校文化を挙げていこうと提案したんです。

すると、教員、給食調理員、管理作業員、事務職員、養護教諭、教頭など、学校に関わる全職種から、見事なほどにさまざまな意見が挙がってきました。それらを一覧にしたら、なんと一〇〇項目以上に上りました。

例えば教員経験四年ほどの若手からは、「先輩教員は何でも「お伺いを立ててからやれ」と言う。あるいは「あなたには経験がないから、子供が迷惑するから、勝手なことはするな」と言う。

学級通信を毎日発行していたら、「あなたのクラスだけ学級通信を出すと、周りとの調和が乱れる」と言われる」といった意見が出てきました。

逆にベテランからは「何でもかんでも「主任が責任を持て」と言われる。管理職の仕事は何なんだ」。学校職員からは「学校で子供を育てるのは教員だけの仕事なのか。子供が教員の前で見せる姿と、自分たちの前で見せる姿は全然違う。それなのに、自分たちが子供に関わろうとすると、やめてくれと言われる」といった意見が出てきました。

その他にも「時間割ありきで授業を切ってしまう」「他のクラスの子供を叱ったら、その担任の機嫌が悪くなる」「気をつけ、前にならえは、何のためにしているのか」などの意見も出てきました。どの意見もリアルで面白かったですよ。

次に、一〇〇以上集まった項目の中で「残す必要がある」と思うものを挙げようと提案しました。すると、結果はゼロ。「残す必要がある」ものは一つもなかった。最終的に、全職員が納得した上で、これら全ての項目を〝断捨離〟しました。新しく作り出すよりも、まずは過去を捨てたわけです。

学校が大変なのは過去の文化を「捨てない」から

よく大空小の取り組みについて、「校長がトップダウンで新しい教育をつくり上げたんですか?」「ベテランの教員から文句が出なかったんですか?」などの質問をいただきます。ですが、全ては全員が納得して、「これがあったらダメ」という悪しき学校文化を捨てただけなんです。

大空小の断捨離は、学校の当たり前を問い直し続ける行為とも言えるでしょう。

これは、どんな学校でも「すぐに」できます。

今の学校現場は、ダメだ、良くないと分かっていながら、過去の文化を引きずっているのです。それが、現場をものすごく大変にしている。過去の文化を引きずりながら、「モンスターペアレンツをなくせ」「コミュニティ・スクールを作れ」と次々に要求ばかりされているわけです。

一方で、過去の文化をゼロの状態にしたら、今必要なことをやらなければならなくなる。つまり、不必要なものを断捨離すれば、新たなものを作るしかなくなるのです。

新しく作る作業は、一人ではできません。毎日、職員室で雑談しながら「これはやってみよう」「これに変えてみよう」と、教職員全員で試行錯誤を積み重ねていけばよいのです。逆に、「これは捨てたくない」という過去の文化があれば、なぜ捨てたくないのかをみんなで話し合えばよいのです。

先生と相性が合わなければ、受け持つ先生を交代すればいい

多くの学校が、過去の悪しき文化を「捨てたくない」「なくしたくない」と考えるのは、教育

活動の主語が教員になっているからです。つまり、「教員のための学校づくり」になってしまっている。繰り返しますが、学校は「先生が教える所ではなく、子供が学ぶ所」なのです。

全ての主語を子供に変えれば、学びは一八〇度変わります。そして、スリムな学びが作れます。

一つの例が、一人の教師が一クラスを受け持つ「固定担任制」です。担任はクラスの全ての子供に対し、一人で責任を持ちます。でも子供と教員も、お互いに相性が合わないようなことが多々あります。

例えば、クラスで暴れる子がいたとして、その原因をひもといていくと、その担任の下では安心して学べないからというケースもあるのです。実際、「〇〇先生が嫌だから学校に行けない」という子供は、そこら中にいます。その子が安心して学べるようにするには担任が代わったらよいのですが、固定担任制だとそれができません。

こうした固定担任制も、悪しき学校文化の一つだと私は思います。一〇年後、目の前の子供が〝なりたい自分〟になるための学力を、担任一人の指導で付けられるでしょうか。大空小で「自分一人で子供に学力を付けられると思う人は担任をしてください」と聞いたら、誰も手が挙がりませんでした。そこで、全員が納得の上で固定担任制を廃止し、それぞれ授業などを交代して受け持つ担当制に変えたのです。

多様な学校の空気は一〇年後必ず役に立つ

子供が学校で学べない、学校に来ることができない。それは、その子の発達的特性や家庭に原因があるのではありません。「不登校」と言われている子供は、安心して吸える空気が学校にないから、学校に来られない、そう考えるべきです。

つまり、学校の空気が画一的なのです。そんな画一的な空気を吸っている周りの子供も、そのままでは一〇年後の社会で通用しません。全ての子供が吸える空気は、多様なものでなければならないし、多様な空気を吸いながら学んだ力は、一〇年後の社会で必ず役に立ちます。学校の主語を教師ではなく子供と捉えれば、そういう考えに至るのです。

そして、子供に「一〇年後に必要な力」を付けさせることを考えたら、担任一人では絶対にできないんです。「一人でできない」という空気が学校に広がったら、大空小のように子供を主語においた仕組みへと変えられます。そうした、先生たちが「人の力を活用する力」を発揮する学校が、これから重要になってくるのです。

（編集部長　小木曽浩介、松井聡美）

FUTURE EDUCATION!

#07 鈴木大裕

「成功」「幸せ」の価値観を変える

米国の失敗から学ぶ教育改革への道筋

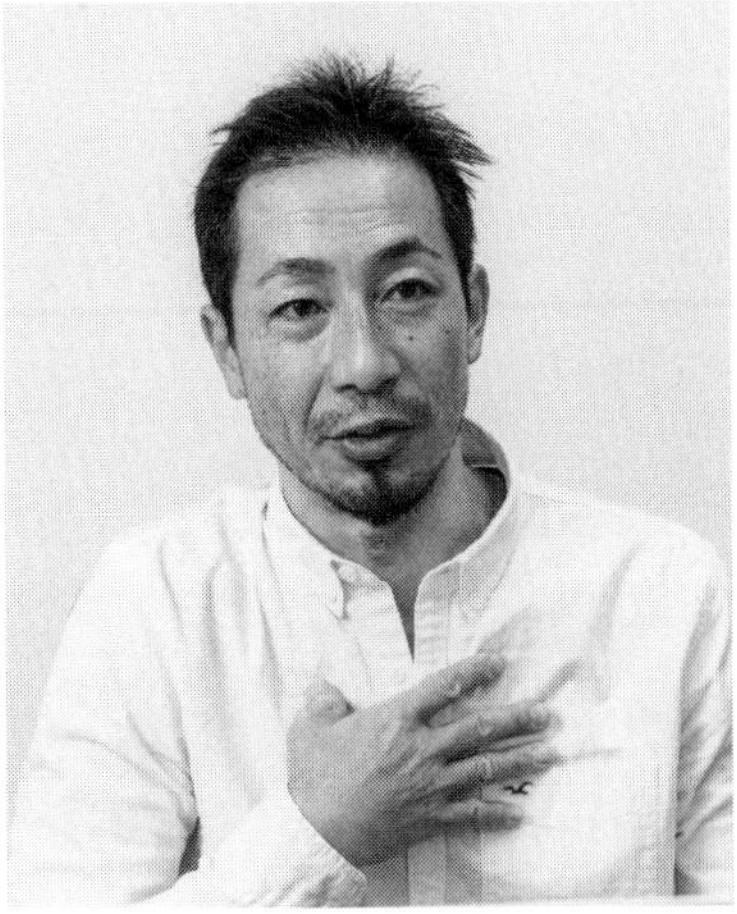

すずき・だいゆう　教育研究者．16歳で米国に留学し，そこで受けた教育に衝撃を受け，日本の教育改革を志す．帰国後，千葉市の公立中学教諭を経て，2008年に再び渡米し米国の教育改革を学ぶ．19年より高知県の土佐町議員．著書に『崩壊するアメリカの公教育――日本への警告』(岩波書店)など．

現代日本の「勝ち組」の先に、幸せはあるのか。米国と日本の教育改革に精通し、新進気鋭の教育研究者として注目される鈴木大裕氏は、そう疑問を投げかける。世の中を経済的な観点からだけ見る「新自由主義」社会における教育改革の光と闇、そして未来に必要な真の改革とは――。

崩壊する米国の公教育を目の当たりに

私はこれまで二度、米国へ渡り、米国の教育や教育改革について学んできました。一度目は、一六歳の時です。私は日本の学校を好きでしたし、先生にも恵まれました。けれども、ふと、「このまま受験勉強をしてどこかの大学に入り、どこかの会社に就職する」という、日本の社会が提示する「幸せ」や「成功」という価値観に、疑問を持ったのです。「このままでは、自分はユニークな人間になれない」と思い、漠然と憧れを抱いていた米国へ一歩踏み出してみることにしました。

留学先には、日本人のいない小さな全寮制の高校を選びました。語学など苦労はしましたが、生徒一人一人の考えを尊重してくれる先生との出会いもあり、「学んでいる」という実感に溢れた、充実した日々を過ごせました。

そして高校卒業後も米国に残り、大学と大学院で教育学を学びました。日本に帰国した後は、現場に立ちたい気持ちが強く、通信教育で教員免許を取得し、千葉市の公立中学校で英語科教員として教壇に立ちました。

教員としての六年半、私はその仕事の魅力にはまり、さまざまな家庭環境の子供たちが集まる公教育の意義や可能性を感じていました。しかし一方で、未だ停滞しているように見えた日本の教育に危機感を持つようになったのです。そこで、次々と大胆な教育政策が実践されていた米国に再度渡り、大学院の博士課程で教育改革について学ぶことにしました。

けれどもそこで見えてきたのは、むしろ米国の公教育が「崩壊」する状況でした。学べば学ぶほど、テストの点数と結果責任を軸にした学校間競争と「底辺校」の閉鎖、それに伴う教員の一斉解雇、まるで塾のような公設民営学校(チャータースクール)の拡大、義務教育における学校や教員の序列化など、市場原理に基づく教育改革のさまざまな闇の部分が見えてきたのです。

当時、私の娘二人もニューヨーク市の公立学校に通いました。同市は学校選択制をとっており、保護者は最大二〇校まで希望する学校を選んで教育委員会に提出することができました。同市の学校選択制は、学校が生徒と生徒についてくる教育予算を奪い合う「市場型」学校選択制です。

各学校は州統一テストの点数に基づいた、極めて狭い基準の「学力」で評価されており、それを基に各家庭は学校を選ぶのです。わが家は、選べる人間が選び続けていたら公教育は良くならないという考えから、「選ばない」ことを選択しました。

その結果、娘たちには誰にも選ばれなかった学校があてがわれました。どういう学校だったかというと、ハーレムという黒人文化の中心地で、低所得者用の公営住宅に囲まれたところにある学校です。児童の八割以上が生活最低水準以下の家庭の子で、五人に一人はホームレスでした。

そして、音楽、美術、体育の先生がいない、図書館もない、体育館も使わせてもらえません。同じ校舎の中に三校が共存していたからです。一つは、コロンビア大学系のエリート校、もう一つは有名なチャータースクールチェーンの学校で、生徒数によって校舎の使用できるスペースが決められていたのです。最初は校舎の全てが娘たちの通う学校のものでしたが、校舎の四階が奪われ、三階が奪われ、図書館が奪われ……と、他の二校がどんどん大きくなっていったのです。

世の中を経済的な視点からのみ捉える「新自由主義」社会が、米国では公教育にも大きな影響を及ぼしていました。今や教育は「個人に対する付加価値的な投資」へと形を変え、お金を出せば買える「商品」となりました。義務教育なのに「当たり」と「はずれ」の学校が存在するのが普通になってしまっているのです。

米国では「公」と「教育」という、民主主義社会の根幹を成す二つの概念そのものが崩壊を起こしています。そしてその波は、確実に日本にも押し寄せてきているのです。

新自由主義化しつつある日本の公教育

米国では学力標準テストの点数で子供を評価し、その点数で学校や教員までもが評価されている――。これを聞いて、日本も他人事ではないと思う人は多いのではないでしょうか。

米国の教育学者ピーター・タウブマンは、新自由主義的な教育改革を成し遂げるには、「三本のくさび」があると述べています。

一本目は、「学力」をテストの点数へと再定義するくさび。二本目は、教員の「指導力」をテストの点数を上げる能力と再定義するくさび。そして三本目は、カリキュラムの基準をパフォーマンスの基準とすり替えるくさびです。

日本では二〇〇七年、四三年ぶりに全国学力・学習状況調査が復活しました。ポイントは抽出式ではなく、あえて悉皆《しっかい》式(全員参加)であるということです。もし、本当に学力を調査することが目的であるならば、抽出式で十分なはずです。

同時に、全国学力・学習状況調査は規制緩和で都道府県別だけでなく、学校別の成績も開示可能になりました。小学六年生と中学三年生の全児童生徒が受けていて、その学校の成績も知ろうと思えば知れるといった時点で、もうすでに市場原理は回り始めているわけです。

しかも米国同様、日本でも学力テストがどんどん増加しています。約七〇%の都道府県、それに加えて八五％の政令指定都市が自治体独自の学力テストをしています。教員はこうしたテストの結果をもとにＰＤＣＡサイクルを回すことを求められ、学校や教員、子供たちがその対策に追われているわけです。

このように、日本の公教育にもすでに一本目と二本目のくさびは打ち込まれています。そして三本目のくさびも、二〇二〇年から実施の学習指導要領によって打ち込まれようとしています。

高校における「公共」という科目の新設や、小学校での外国語教育、プログラミング教育などが注目されている新学習指導要領ですが、私は一つ大きなポイントが見過ごされてきているように思います。それは、学習指導要領の基準の転換です。

今までの学習指導要領は「何を学ぶか」「何を教えるか」という、いわゆるカリキュラムの基準でした。それに加えて、新学習指導要領では、「何ができるようになるか」というパフォーマンスの基準が強調され、学習到達度の基準へと変わろうとしているのです。

こうした先にあるのは、すでに米国で起こっているような公教育における格差や、学校や教員の序列化にほかなりません。学力はペーパーテストの点数、教員の能力はペーパーテストの点数をいかに上げられるかになり、カリキュラムの基準はパフォーマンスの基準へと変わってしまう……。この三本のくさびが全て打ち込まれてしまったら、そのトライアングルから逃れることはできなくなってしまいます。

見直すべきは偏った「学力」観

今の日本の教育現場は米国と同様に、学力テストの点数によって徹底管理されています。都道府県や各学校が「これをやればこれだけ上がった」「これは効果がなかった」などと、どうやったら全国学力・学習状況調査の点数を上げられるかについて、活発に議論しているわけです。

しかし議論されるべきは、そもそも何をもって「学力」と呼ぶのか、ではないでしょうか。全国学力・学習状況調査で測るのは、国語と算数(数学)のペーパーテストの点数だけです(理科は三年に一度)。子供たちをそんな極端に小さな土俵で勝負させ、それだけで評価を決めていいのでしょうか。

子供は一人一人全く違います。そして、学校は、そこに集った子供たちの多様性を祝福する場所であるはずです。全国学力・学習状況調査を主体にした今の教育界において改革すべきは、ペーパーテストを前提にした狭く偏った「学力」観そのものです。

また、日本でも都市部を中心に学校選択制の導入が進んでいます。学校選択制は、導入の目的としては教育の多様化を目指すものでしたが、実際には、特に都市部においては「市場型」学校選択制になりつつあります。つまり、「自己責任で、身の丈に合った学校に行ってください」という状況になってきているのです。もはや義務教育における公立の学校も、保護者や子供がカスタマーとなって選ぶ時代になってきているのです。

同様に大学も、学術研究を深め、教養や専門知を学ぶ場ではなく、職業教育を施す場になりつつあります。「もし、あなたの学部が、地域の労働力や経済に貢献していないのだったら、そんな学部は統廃合してください」というとんでもない通知を、二〇一五年に文科省が全国立大学に出しています。要は経済界のニーズに合っていないのだったら、そんな学部はいらないということです。今ではその流れが高校にも確実に下りてきています。

公教育の民営化、学校の塾化

長時間労働やなり手不足など、「教員はブラックな職業だ」と言われ、学校における働き方改革が進められようとしています。本来、働き方改革は良いことですが、私はそれが公教育の市場化、民営化のきっかけ作りになってしまうのではないかと危惧しています。

例えば、小学校の外国語教育やプログラミング教育について、「教えたことがない、教わったこともない」と、現場からは悲鳴が上がっています。すると国から予算がついて、民間委託が検討されます。しかし、最初は外国語教育やプログラミング教育から始まったことが、教員不足という追い風もあって、今後、他の教科もどんどん民間委託になってしまうかもしれません。

すでに部活動は外部委託されつつあります。そうなると、今後は、運動会は地元のスポーツクラブに丸投げ、修学旅行も旅行会社に、合唱コンクールも……となりかねないわけです。

こうした官民連携がどんどん進み、公立学校が民間に依存しきったときに、国からの予算が打ち切られたら、外部委託されていた教育事業は完全に民営化されてしまいます。そうなったら、放課後にスポーツや芸術、音楽などをやりたくても、お金を払える家庭の子しかできないという状況が生まれてしまうのです。

今は、働き方改革にかこつけて、学校の「塾化」が進んでいます。どんどん学校がスリム化して、教員がやるのは授業だけになる。ビジネス界では、もはや学校の塾化を通り越して、塾を学校化したほうがいいのではないかと言っている人もいるほどです。

学校は人を育てる場所です。塾とは違う学校の役割とは何なのか、塾講師とは違う教師の役割とは何なのか――。「学校における働き方改革」を本気で考えるのであれば、私たちはそのような根源的な問いに、一度立ち戻る必要があるのではないでしょうか。

見直しは学習権の保障を起点に

さまざまな教育課題が山積する現状を、どう打破していくべきか。そのためには、教育現場で起きていることを通して、社会の在り方そのものを問い直す作業が必要です。われわれ教育関係者は、学校や教室という狭い枠組みの中で答え探しをしがちです。しかし、私は逆に、教育現場で起きていることを通して、社会の在り方そのものを問うべきではないかと考えています。

例えば、介護職が足りないという問題に対して、国はどんな対応策を講じたでしょうか。介護職を単純労働という枠組みの中に入れることによって、外国人技能実習生に門戸を開いたのです。同様に保育士が足りないという問題に対しても、免許制度を緩和して対応しました。

教員が足りないという課題についても、このまま「教員が足りない」ということだけにフォーカスしていたら、誰でもいいから現場に送れば良いということになってしまう。しかし、そこで私が指摘したいのは、「子供の学習権の保障」という視点からの問い直しです。「子供の学習権の保障」という視点を入れたならば、「量」的な問題に「質」的側面も加えることができます。誰でもいいから……というわけにはいかないのです。

米国の医療保険制度や教育保障制度の充実に尽力したジョンソン大統領の下で、副大統領を務めたヒューバート・H・ハンフリーはこう言っています。「子供たちの人生の夜明けにどのようにかれらを扱うか、お年寄りの人生の終焉にどのようにかれらを扱うかが、国家としての質を物語るのだ」。子供の教育やお年寄りの介護をなるべく安上がりにしようという、今の日本の国家としての質を問う必要があるように思います。

「幸せ」の価値観を変えよう

米国から帰国後、私は家族とともに高知県土佐町に移住し、二〇一九年からは土佐町議員として活動しています。私が議員としてやっていることは、現場の声に耳を傾け、どんなサポートが必要かを拾い上げていくことです。そして、教員一人一人が専門性を発揮できるよう、教育条件を整えていくのが自分の役割だと思っています。

土佐町は人口四〇〇〇人弱の過疎地です。このままいけば、間違いなく町そのものがなくなります。しかし土佐町は驚くことに、「町の存続を次世代の教育に懸ける」と決め、教育を町おこしの一本の軸として掲げました。そこにロマンを感じたのが、移住の大きな決め手でした。

また、明るいイメージの強い高知県ですが、全国の幸福度指標ではずっと、最下位クラスでした。なぜなら指標の基準となる年収が低い、最低賃金が低い、学歴も低いから……。でも、そう言われているけれど、自分たちは結構幸せだと、高知の人たちは疑問に思っていたそうです。そして「もしかしたら、この幸福度指標そのものが間違っているのでは？」と考え、経済指標だけでは測れない、高知県らしい豊かさの指標として「高知県民総幸福度（GKH＝グロス・コウチ・ハピネス）」を作ったのです。

この指標はとてもユニークで、お金や学歴は関係ありません。例えば、「通勤時間が短い」「困った時に助けてくれる人が近くにいる」「豊かな自然に恵まれている」「おいしい食材がすぐ手に入る」「居酒屋で初対面の人と意気投合したことがある」「女性が安心して外へ飲みに行ける」「家族団らんの時間が十分にある」といった指標なのです。

これはすごく面白いし、夢があると思いませんか。もし幸せの枠組みそのものを問い直せるのであれば、学力でも同じことができるのではないかと、私は期待をしているのです。そして、お金は少ないけれど暮らしは豊かなこの土佐町から、日本の社会の在り方そのものを問い直すことには、大きな意義があるように思うのです。

そもそも、今の日本における「勝ち組」の先に、幸せはあるのでしょうか?

これまで、「学力」とキャリア、そして経済力を結びつけて話すことはあっても、教育と幸せを結びつけて話すことはほとんどありませんでした。私は、そこにこそ大きな問題があるように思います。もし教育の先に、そして「学力向上」の先に、「幸せ」がないのであれば、そんなものはいらないと、私は自信をもって言います。

社会が提供するあまりにも狭い「成功」の価値観の中で、子供たちは苦しんでいます。社会における幸せの形、または成功の価値観が多様化しないことには、真の教育改革はあり得ないのではないでしょうか。

(松井聡美)

Ⅲ　近未来の教育

FUTURE EDUCATION!

#08 山口文洋

スタディサプリが変える教師像

教える人から学びの伴走者へ

やまぐち・ふみひろ 1978年，神奈川県生まれ．2000年に慶應義塾大学卒，12年にリクルートマーケティングパートナーズ執行役員，15年に同社社長を経て，19年4月よりリクルート執行役員，教育・学習事業担当兼リクルートマーケティングパートナーズ執行役員・まなび事業統括本部長．

コロナ危機下で、リクルートのオンライン学習サービス「スタディサプリ」が一気に躍進した。司令塔である山口文洋氏は「コロナ危機前と比べて新たな導入校数は二倍になった」と話す。児童生徒が自身の習熟度に合わせて利用できる学習動画や練習問題などに加え、教員向けに宿題配信や進捗管理、コミュニケーションの各機能もある同サービス。これまで知識を教えることが中心だった教員の役割は、メンターやコーチのような「伴走者」へと変容する、と語る。

スタディサプリが非常時の学びのリソースに

新型コロナウイルスによる休校中、スタディサプリが学校現場に受け入れられたポイントは三つあると考えています。

まずは授業の動画が豊富にそろっていたこと。今回の休校で、先生方も双方向のオンライン授業にチャレンジされていましたが、三〇人や四〇人のクラスを相手に双方向の授業をするのは至難の業です。普段は先生が自身で授業をして、その後の練習問題をスタディサプリで行うのが一般的でしたが、今回のような非常時には、授業もスタディサプリの動画を見て、関連した内容の練習問題をするというスタイルが四月以降、多くの学校で広がりました。

それから、先生と児童生徒の双方向コミュニケーションのインフラになったことです。授業の動画や宿題の配信はもちろん、先生から児童生徒に向けて連絡したり、児童生徒が今日あったことを報告したりという情報伝達ができるようになりました。

さらに、ウェブサービスへ急激に注目が集まり利用者が急増すると、負荷に耐えられなくなり、サーバーがダウンしてしまうことがあります。しかし、スタディサプリはこうした事態を起こすことなく、安定した環境で求められる機能を提供できたことで、信頼を得られた部分もあったのではないかと思います。

二〇一二年当初は「月額九八〇円でカリスマ講師の動画が見放題」(二〇二〇年現在は一九八〇円)という形で、個人向けにテレビCMを打って事業をスタートしました。携帯やスマホさえあれば低価格で学ぶことができるため、予備校や通信教育にアクセスできない子供たちにも、地域や所得の格差を気にすることなく自由に学べるチャンスを提供することができたと考えています。

母子家庭で経済的に厳しくても、月額九八〇円を払ってこつこつ勉強したという生徒や、山間部に住んでいて予備校のない環境でもスタディサプリを使って大学に合格した、という生徒の声を聞いています。さらに、九八〇円でも厳しいという生活困窮家庭の子供たちには、自治体やN

POと連携して、放課後の学習支援を無料で行っています。

また、個人向けのサービスを開始後に、学校向けのサービスも始めています。もうかれこれ七年ほど、全国で二〇〇人以上の営業担当が学校現場に足しげく通い、先生の働き方改革や、児童生徒一人一人の習熟度に合わせた授業動画と練習問題を提供する、という未来の教育の在り方を説いてきました。

その結果、二〇二〇年現在スタディサプリは日本の高校の半数に導入されるまでになり、学校のICT化推進の一翼を担えたのではないかと思っています。一方で、これまでこのようなテクノロジーを有効な手段と捉えていなかった先生方も、新型コロナウイルスによる休校という事態で初めて危機感を持ったのではないでしょうか。

教員はいずれメンターに

実を言うと、今の一斉授業というやり方にはいささか問題があるのではないか、と考えています。それぞれ実力がばらばらの児童生徒四〇人に対して、先生が一人で教えるという授業や、全員が同じ内容の宿題やテストを行っている世界は、非効率ではないかと感じます。

児童生徒にとって、難しすぎる問題は手が付けられないし、かといって易しすぎる問題では飽きてしまいます。自分のレベルよりちょっとだけ難しい問題に取り組んだ時に、最も成長の度合いが大きくなる。ただ、これを先生がアナログで一人一人に行うのは難しく、多くの児童生徒が放課後に宿題や塾で、もう一度同じ内容をインプットするという非効率な状況が生まれています。

それならばいっそ、英語や算数(数学)、理科、社会のような教科の基礎知識については、先生が教室で一斉に教えるよりも、児童生徒自身が何千万回、何億回と視聴された授業動画を見た方がよいのではないでしょうか。全員が同じことを学ぶのではなくて、習熟度に合わせて一人一人に最適化されたコンテンツを使って学んでいけば、適切な難易度の問題に取り組むことができますし、放課後に宿題としてもう一度同じことをやり直す必要はなくなります。

放課後は本来、自由な時間であってほしいと考えています。僕自身も塾や予備校には通わず、放課後はいつも遊んでいたのですが、そのことが人と違うことを思い付いたり、何にでも挑戦したりといったマインドの原点になったと感じています。

多感な時期だからこそ、何でもかんでも授業で育むのではなく、好きなことに没入するための「余白」のようなものを取り戻す必要があります。趣味でも部活でも、何か夢中になれることで目標を掲げて挑戦する。挫折経験も積んで、反省して次の挑戦をする、という主体性を発揮してほしいと考えています。

とはいえ、先生や学校という存在がなくなって、完全にＡＩに置き換わることはまずないと思います。世の中で、自分一人で学習へのモチベーションを高めて成果を出せる人は一～二割程度しかいないでしょう。残りの八割以上の人は、「勉強は苦手だな」と思っている。

そこで、先生という存在がかれらに伴走して「こういう意味があるから学ばなければいけないよ」「君にはこういう強みがある」「こういう学び方をしたらよいのでは」というコーチングをしていく必要があります。

先生に最も時間をかけてほしいのは、このように児童生徒に対して内発的な動機付けをするメンターやコーチのような役割です。また、基礎知識をベースとして正解なき問いと解を探究していくようなアクティブ・ラーニングや探究学習こそ、授業のファシリテーター、プログラム・コーディネーターとしての先生の腕の見せ所です。

逆に、必ずしも先生がやらなくてよい役割や非効率な業務は、スタディサプリのようなEd-Tech（教育＋テクノロジー）で代用してしまえばよいのではないでしょうか。

コロナ危機下で、知識を教えるだけのティーチングはスタディサプリに任せて、先生は双方向の学びやコーチングに集中するという役割分担をする学校が出てきました。まさに先生の役割を変革した事例であり、うれしく思います。これからの先生には教科の専門性よりもむしろ、児童生徒を導いたり、意欲を育んだりするために心理学や行動経済学を学んでほしいと思っています。

スタディサプリは、一～二割の能動的で主体性のある児童生徒にオンライン完結型の学びを提供するというより、八～九割の勉強が苦手な児童生徒に伴走するに当たって有用なツールを、先生に提供していくことを目指しています。

例えば、高校の入学時には「到達度テスト」を提供しています。小中学校の履修範囲から出題されており、高校入学までにどこでつまずいたかが可視化されます。これまでの苦手を克服する学習プランが自動生成されるので、一学期のうちに宿題や補習の形で進められます。

この到達度テストは学期ごとに用意されていて、高一の二学期には一学期までの履修範囲から出題されます。そこで、以前の苦手は克服できているか、新たな苦手は何か、といったことが分かる。この仕組みを回していくと、個人の習熟度に合った最適なパーソナルラーニングが可能になります。先生はチャット機能なども活用しながら、児童生徒がスケジュールにのっとって苦手克服を進めているか、といったコーチングを進め、できていない児童生徒には声掛けをするなどのフォローをすることができます。

五年後には学校現場のインフラに

スタディサプリでは学習ログが取得できるので、それを蓄積したビッグデータを活用することで、将来的につまずく可能性のある単元などを予測することが可能です。ただ実は、学習ログそのものにそれほど大きな価値があるとは思っていません。スタディサプリでは学習支援だけでなく、リクルートがこれまで手掛けてきたキャリア教育や進路支援も同じプラットフォームで行っています。適職診断や目標に対する振り返りのデータを蓄積して児童生徒や先生にフィードバックしており、こうした学習面以外のデータの方が価値は高いと思っています。

こうしたデータは、入試や成績評価などの場面で先生だけが使うのではなく、児童生徒自身が自分の客観的なデータを見て内省し、自分の強みや弱みを把握するために使ってほしい。学習の習熟度のデータと合わせて、他人との比較というより「過去の自分よりも成長した」という観点で見ることで、自己肯定感の向上にもつながると考えています。データのオープン化についても検討し、日本の教育全体の発展に貢献していければよいと考えています。

今回の新型コロナ危機で、今後はいつ休校になってもおかしくないという不確実な環境にあるということが分かりました。感染だけでなく地震などのリスクもありますし、ＩＣＴのインフラや有事に使えるソフトウエアを常備するのは、非常時に備えて「乾パン」を常備しておくのと同じで、もはやマストなのではないでしょうか。

ただＩＣＴについては、乾パンのように非常時にしか食べないのではなく、平時から食わず嫌いをせず、勇気をもってチャレンジしてほしい。とはいえ、いきなりプログラミングの講座を受けようとしても難しいので、まずは紙ベースでやり取りしていた連絡帳をメールにしてみる、プリントで出していた宿題をオンラインで配信してみようという、シンプルで簡単なステップからＩＣＴ化を進めていくのがよいのではないでしょうか。

スタディサプリも一過性のブームで終わるのではなく、五年後には「完全に定着したな」と思われるぐらいのインフラになっていたいですね。

（秦さわみ）

FUTURE EDUCATION!

#09 神野元基

進度２倍、AI 型教材キュビナの衝撃

問い直される授業と学び

じんの・げんき　北海道網走市で育ち，大学在学中より起業家として活動．米シリコンバレーに滞在中，人工知能(AI)に出会う．帰国後，子供たちに「未来を生き抜く力」を身に付けてほしいと考え，2012年に東京で学習塾 COMPASS を開校した．14年に開発を始めた AI 型教材「Qubena」(キュビナ)は 20年９月現在，利用校が 750校を超え，学校現場の熱い視線を浴びている．

東京都・麹町《こうじまち》中学校で行われたAI型教材「Qubena」(キュビナ)の実証事業では、六二時間分の数学の授業をわずか三四時間で修了。学習進度が二倍近くに引き上げられたという結果は、教育関係者に大きな衝撃を与えた。ただしキュビナの目的は、受験用の知識を効率よく詰め込むことではない。開発元である株式会社COMPASSの神野元基ファウンダーは「知識・技能を効率よく習得して生み出された時間を使い、子供たちには未来を生き抜くために必要な力を身に付けてほしい」と語る。

常にレベルに合わせた問題を解ける

キュビナを使った千代田区立麴町中学校の授業は、経済産業省の「未来の教室」実証事業として二〇一八年度に数学、一九年度に数学と英語が行われました。数学では、大教室に複数のクラスの生徒たちが集まって自由席で座り、タブレット端末を操作しながら問題を解いていきます。

それぞれの生徒の学習状況に応じた自由進度学習なので、分からないときはクラスメートに聞いたり、手を挙げて「先生、きてきて」と呼びかけたり、にぎやかな雰囲気の授業になっていました。

教師は生徒の質問に答えるだけではなく、手元の教師用画面に全生徒の学習状況がリアルタイムで一覧表示されるので、それをみながら学習が進まない生徒に声をかけていきます。先生が一方通行で教える授業ではないので、先生の口数はそれほど多くはありません。

これまで教室で行われてきた集団指導では、分かっている生徒はすでに分かっていることを繰り返し言われることになる。分からない生徒にとっては、もう少し戻って教えてほしいのに、分からないまま授業を聞いている時間がずっと続いていました。

これに対して、キュビナは、一人の生徒が解いた問題の解答内容に応じて、どの問題の、どの要素につまずきがあるのかをＡＩを使って瞬時に分析し、次にどの問題を解くべきかを自動判別して出題していきます。常に自分に合わせたレベルで問題を解くことができるのです。

この仕組みによって、すでに分かっていることを繰り返し言われることがなくなり、同時に分からないまま授業を聞いている時間もなくなります。結果として一人一人の児童生徒に個別最適化されたかたちで授業を届けることが可能となり、全ての生徒にとって知識・技能の習得が早まることになります。

授業時間が半分に

一八年度に麹町中学校で行われた数学の実証事業では、一年生の場合、授業時数六二時間分の単元学習が、わずか三四時間で修了しました（図1）。二年生では六三時間分が三一時間に短縮され（図2）、三年生でも六八時間分が三八時間で済みました（図3）。早く修了したので、生み出された時間を使って、一年生と二年生では、Science（科学）、Technology（技術）、Engineering（工学）、Arts（芸術）、Mathematics（数学）を総合したＳＴＥＡＭ教育や、次学年の学習を先取りした授業ができました。三年生では、復習や受験対策の時間に充てました。

麹町中学校では当時、習熟度に合わせて、一学年の生徒を発展クラスと基礎クラスに編成して授業を進めており、このうち、基礎クラスの数学だけにキュビナを導入しました。キュビナは学習指導要領に即した内容になっており、発展クラスの生徒が求める難関私立高校の受験には対応していないためです。

興味深いことに、実証実験の結果、キュビナの導入で発展クラスと基礎クラスの偏差値の差が一気に縮まったことが分かりました（図4）。一年生の数学では、偏差値の差は平均して五ポイント以上縮まりました。さらに、基礎クラスの上位一五％程度は発展クラスの偏差値を上回りました。

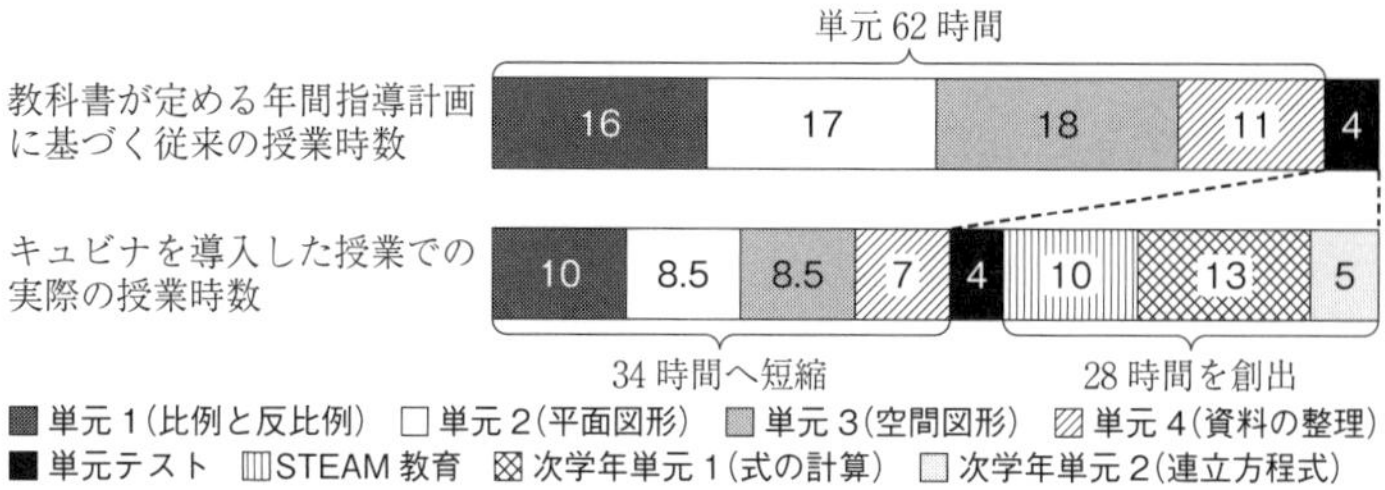

• 約 2 倍の学習進度で単元学習を修了した
• 2, 3 年生についても同様の進度で範囲を修了した
• 今までの授業計画ではできていなかった STEAM 教育や 2 年生の単元も実施することができた

図 1　キュビナを導入した授業での授業時数(1 年生)

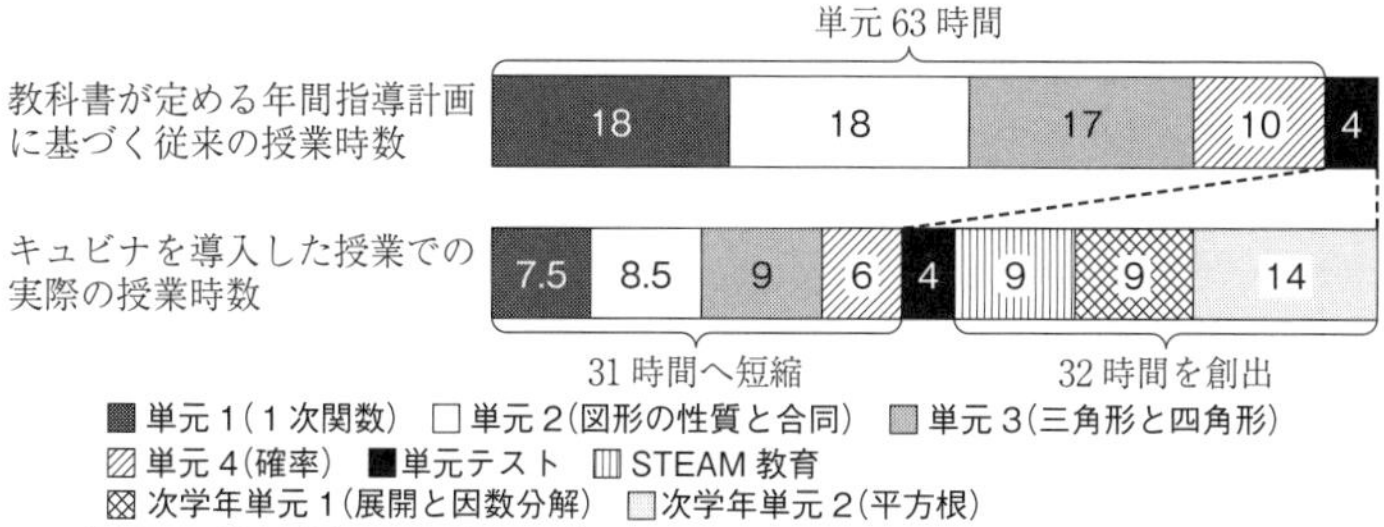

• 2 倍以上の学習進度で単元学習を修了した
• 今までの授業計画ではできていなかった STEAM 教育や 3 年生の単元も実施することができた

図 2　キュビナを導入した授業での授業時数(2 年生)

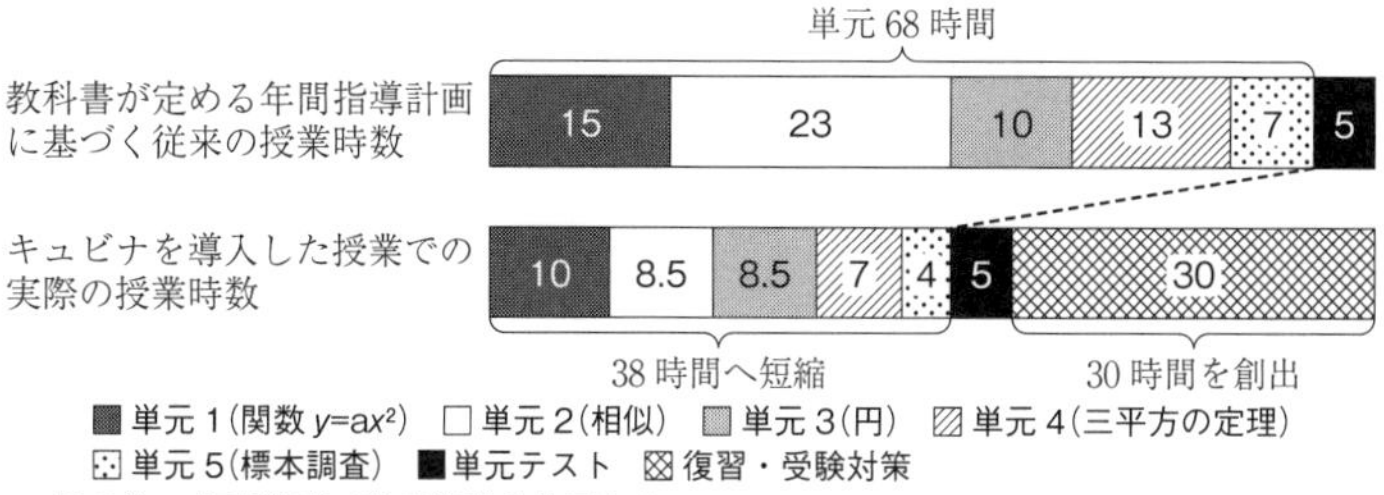

• 約 2 倍の学習進度で単元学習を修了した
• 創出された時間は中学校の学習内容の復習や受験対策の時間に充てることができた

図 3　キュビナを導入した授業での授業時数(3 年生)

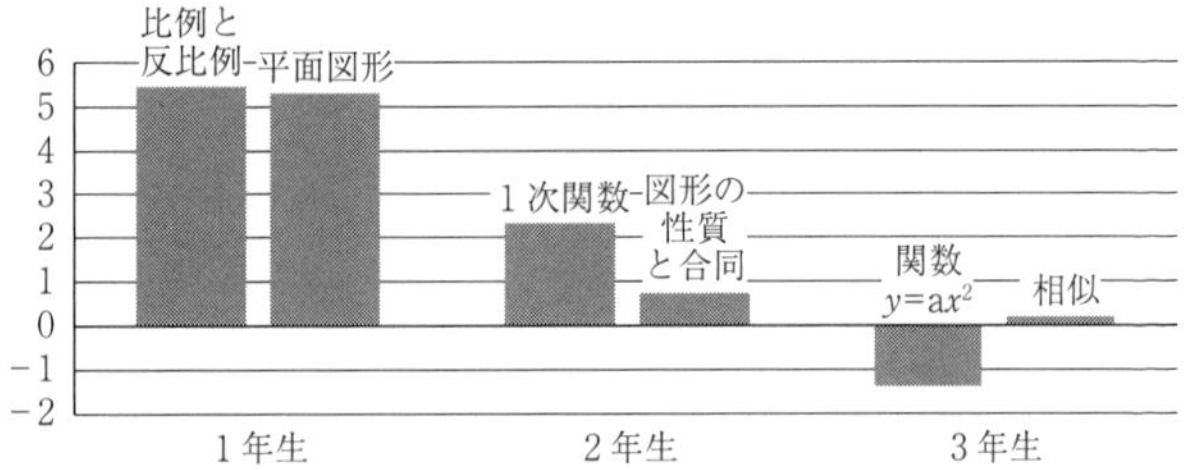

偏差値差の縮小値

- 1年生＞2年生＞3年生という形で効果に違いがあった
- 1年生では，キュビナを使った生徒の上位15%程度は発展クラスの偏差値を上回る結果になった
- 学年が上がるごとに縮小幅が狭くなり，3年生に関しては差が開いた単元もあったが，アダプティブラーニングの特性上，3年生は学習し直さないといけない範囲が多くなるためだと推測される

図4　発展クラス（キュビナ未導入）と基礎クラス（キュビナ導入）間の偏差値差の縮小値

三年生では、偏差値の差があまり縮まらず、逆に差が開いたケースもありました。これは個別最適化学習（アダプティブラーニング）の特性として、分かっていない生徒の場合、一年生や二年生の単元にまでさかのぼって学習し直す作業に時間がかかってしまったのだと思われます。

そう考えると、個別最適化学習は、数学につまずく生徒が増え始める中学一年生ごろからスタートすると、もっとも効果があがると言えるかもしれません。中学一年生の場合、偏差値や得点の分布を調べてみると、導入後に基礎クラスの層がどんどん上に近づいていったことが分かっています。

先生と生徒に時間を作るというインパクト

キュビナの開発は、米シリコンバレーで起業に挑戦した二〇一〇年ごろ、ＡＩとの出会いと同時に、ＡＩが人間の知性を超えるシンギュラリティ（技術的特異点）の概念に触れる機会があったことがきっかけです。その時、「シンギュラリティが起こるのだとしたら、未来を生き抜く力が大事になる。未来に生きる子供たちこそ、そのことを一番知るべきだ」と思いました。これが教育分野に関わるようになった経緯です。

帰国後、東京・八王子で学習塾COMPASSを開き、自ら教壇に立って子供たちに教えました。僕自身、中学生、高校生のころに北海道で通っていた学習塾で、先生とすごく近い距離でしゃべることができ、刺激を受けた経験があります。僕は英才教育を受けたわけでもないし、徹底した受験教育を受けたわけでもない。大事だったのは、学習塾の先生が僕と向き合い、いろいろなモチベーションを湧かしてくれたことです。この体験から、先生が子供たちの話を聞いてくれて、きちんとコミュニケーションをとれることが大事だと分かりました。そのための時間を子供たちにちゃんと作ってあげたいという思いが、今の事業にもつながっています。そのイメージから、学習塾なら子供たちに何かを伝えられると考えたのです。

でも、すぐに壁に突き当たりました。子供たちは部活動も受験勉強もしていて、未来のことなんか考える暇がない。心も時間も余裕がないのが現実でした。そうであるならば、今、目の前にある学習をもっと効率化すれば、将来について考える時間が生まれるのではないかと思いました。

そこで、学習塾でやっていた集団授業で、子供たちが何でつまずいているのか個別に判断し、一人一人に適切な課題を出していくことができたら、最短ルートで学習ができるのではないかと考えました。これが先程からご紹介している個別最適化学習という考え方です。

だいたい中学生くらいで、学校の学習につまずいてしまう子供は少なくありません。特に積み上げ式で学んでいく数学や英語は、一度つまずいてしまうと、その後の学習が全て分からなくなってしまいます。そういう背景があるので、まずは中学生向けに、数学を学習する要素を分解したプリントを作り、一人一人の子供に必要な要素を個別に学習させる検証作業をやってみました。このプリントを使った学習はかなり効果があることが、すぐに分かりました。

しかし、生徒全員に手で配るプリント学習では、手間が掛かりすぎます。そこでプリントを機械に切り替え、ＡＩの力で一人一人に最適な問題を出すことができれば、先生がマンツーマンで教えなくてもいいと考えました。こうやって開発したアプリが、キュビナ誕生につながったのです。

今、何よりも必要なのは、子供たちにも先生にも時間を作ることです。その上で、本当に大事なのは、子供たちが未来をどう考え、今、何をすべきか、それを一緒に作っていくことだと思っています。

キュビナを開発した目的は、詰め込み型教育の学習量を増やすことではありません。受験に向けてさらなる知識を詰め込むためにＡＩを活用するのではなく、学習指導要領の範囲内で知識・技能を効率よく習得し、未来のための時間を作るＡＩ型教材の開発を目指しています。キュビナは知識・技能の習得を最短で行うための教材であって、それ以上でもそれ以下でもないのです。

だから、現時点で優先順位が高いのは、キュビナで学習指導要領の範囲をカバーすること。日本の子供たちが一番時間を費やしているところを、とにかく縮めたい。なぜなら、子供たちと先生に時間を作ってあげることが、一番のソーシャルインパクトにつながっていくと思うからです。

AIにできないこと、教師だからできること

キュビナの心臓部は、コンパスエンジンと名付けられた、学習に特化した独自開発のＡＩです。算数と数学の場合、知識・技能の学習要素を八〇〇〇種類で定義し、どの知識・技能部分がどのように個別の学習コンテンツと結び付くのかをエンジン自体が抽出します。それを子供一人一人の答えや解き方、所要時間といった要素と紐付けた上で、エンジンが「ここがこのくらいできている」「このへんがちょっと怪しい」と自動で演算します。その結果として、次に解くべき問題が子供たちに出題される仕組みです。

ＡＩのこうした、一人一人の児童生徒に最適な問題を選ぶという機能は、平均的な教師よりも優れているかもしれません。そうなると、教師の役割はどこにあるのかが問題になってきます。知識・技能を獲得する反復練習は、全てテクノロジーで対応できます。初学者が最初に概念を習得するところも、テクノロジーが対応できます。

けれども、それがどれだけ人生に役立つものなのか、子供たちの心の中に届けるのは、人と人の信頼関係がなければできません。これこそが、先生にやっていただく仕事だと思います。先生

たちはこれまでも子供たちとの信頼関係を作ってきた。だから、教材がＡＩになっても、先生たちがスキルアップする必要はほとんどありません。

ＡＩ教材を使った授業で違ってくるのは、時間の配分です。これまでの授業は知識・技能の習得を子供たちにやらせるところに、非常に多くの時間を費やしてきました。でも、その部分はテクノロジーを使えばいい。また、テクノロジーは、先生たちのさまざまな業務を肩代わりしてくれる部分があります。テストの採点や生徒の情報管理は、いち早くＩＣＴ化すべきです。

その結果生み出された時間でなにができるか。先生たちはこれまでも子供たちにコーチングをしていたり、モチベーションを与えたりしてきたのだから、そういう時間が増えるだけです。先生の新たな仕事が増えたり、新しいスキルが必要になったりするわけではありません。

子供たちの知識・技能も、テクノロジーが提供できるかもしれません。しかしながら、子供たちに応用力を付けてあげることは、人がやらなければならないことです。テクノロジーが先生たちを補助することで、先生たちも子供たちも時間を得ることができます。これが入り口です。本当の学びはその先にあります。学習指導要領は「主体的・対話的で深い学び」と言っていますが、それが「未来を生き抜いていく力」を身に付ける学びだと思います。キュビナはそうした本当の学びに必要な時間を生み出すために、知識・技能の習得を最短で行う教材なのです。

デジタル教育を「インフラ整備」で終わらせてはいけない

これからやりたいことは、まずは日本全国どこででも、子供たちがこういう教育を受けたいと思ったら、選択肢として実際に選べるようにかたちを作っていくことです。この数年で実現を目指したいと思っています。

そうした教育を実現するに当たって、つい最近まで学校教育が抱える一番の問題は、ICTインフラの整備でした。子供たちがタブレットやPCを好きなように使える環境がないと、個別最適化された学びはどうにもなりません。これについては文部科学省が二〇一九年一二月に日本全国の小中学生に一人一台端末を整備するGIGAスクール構想を打ち出し、それが新型コロナウイルス感染症に伴う学校休校の長期化で一気に前倒しで整備されることになり、近いうちにほぼ全ての学校でICTインフラが整う状態になりました。画期的な動きだと思います。

これから議論すべきことは、GIGAスクール構想を単なるインフラ整備で終わらせてはいけないということです。教育現場に時間を作ってあげて、子供たちが本当の学びができるようにするためには、ソフト面の環境整備が大切になってきています。

これらについて僕は、二〇二〇年五月二六日にウェブ会議で行われた中央教育審議会初等中等教育分科会の「新しい時代の初等中等教育の在り方特別部会」の委員として、他の中教審委員たちと一緒に「新型コロナウイルス感染症に対応した新しい初等中等教育の在り方について」という報告を提出しました。

会議の説明では、学校現場のデジタルトランスフォーメーションに伴い、デジタル技術をちゃんと取り込んだ学校教育にしていくことが必要だと強調しました。具体的には、①デジタル技術を踏まえて教育政策を考えることができる専門家として、都道府県教育委員会にＣＩＯ（最高技術責任者、Chief Information Officer）を派遣すること②公正な個別最適化学習を実現していくために、授業の単位時間や授業時数の弾力化③知識・技能の習得にとどまらない探究学習や協働学習に対応した教員免許制度の見直し④新しい教育様式の策定――を挙げました。

こうしたデジタルトランスフォーメーションが進むと、子供たちの学習ログが蓄積されていきます。その学習ログを活用すれば、一発勝負の試験よりも学力の公正な判断が可能になっていきます。毎日学校に通って一斉に同じ授業を受けなくても、子供たち一人一人に合わせて、学習環境を個別最適化することも可能になってくるでしょう。さまざまな理由で学校に通えない子供も含め、誰一人取り残さずに健やかな学びを保障できるようになるはずです。

（編集委員　佐野領）

FUTURE EDUCATION!

#10 宮口幸治

学校でしか救えない子どもたち

少年院から生まれたコグトレの可能性

みやぐち・こうじ　立命館大学産業社会学部教授．京都大学工学部を卒業し建設コンサルタント会社に勤務後，神戸大学医学部を卒業．児童精神科医として精神科病院や医療少年院に勤務，2016年より現職．困っている子どもたちの支援を行う「日本COG-TR学会」を主宰．

児童精神科医として医療少年院や精神科病院に勤務してきた立命館大学・宮口幸治教授。支援が必要であるにもかかわらず行き届いていない「忘れられた存在」の子どもがテーマの著書『ケーキの切れない非行少年たち』(新潮新書)が話題を呼んだ。かれらの生きづらさの一因は、「見る力」や「聞く力」など認知機能の弱さだと説明する。宮口教授が向き合ってきた子どもたちの姿やその支援方法をヒントに、学校や家庭で「忘れられた存在」を生まない方法を解き明かす。

教育のひずみが生んだ「生きづらい子どもたち」

私はこれまで大阪府の公立精神科病院に児童精神科医として勤務し、それ以降は法務技官として医療少年院や女子少年院に勤務してきました。大学で教壇に立つ今も医療少年院に非常勤で勤めており、発達障害や知的障害がある非行少年の支援をしています。支援が必要であるにもかかわらず行き届いていない子どもの存在を社会に伝え、支援体制を整えることが、私の責務だと感じています。

著書『ケーキの切れない非行少年たち』は、これまで診察してきた子どもたちとの出会いを踏まえ、かれらの心の声に耳を傾け、支援する方法を示したものです。

医師として私が着目したのは、かれらの認知機能の弱さでした。それに着眼したきっかけは、少年院で出会った少年の一枚の絵です。私の赴任した少年院には窃盗や恐喝、強制わいせつ、傷害、殺人など、さまざまな罪を犯した少年が送り込まれていました。

赴任当初、提示された少し複雑な図形を書き写すという単純な課題を、少年の一人に出しました。しかし彼が淡々と描いて私に見せた絵は、いびつにゆがみ、示した図形と同じものには到底見えません。彼にはこの世界がこんなにゆがんで見えるのか、と衝撃を隠せませんでした。

この少年だけではありません。立方体を模写できない、ケーキに見立てた丸い円を三等分できない、単純な計算問題ができない、簡単な短文を復唱できない——。犯罪に手を染めた少年の多くが、中高生になってもそのような状態でした。

認知機能とは記憶や知覚、注意、言語理解など、いくつかの要素が含まれた知的機能を指します。人間は五感を通して外部環境から情報を入手し、頭の中で整理します。それを基に計画を立てて生活するわけで、生きるために必要不可欠な、いわば、全ての行動の基盤になる力です。

認知機能が弱いと、見る力や聞く力など、情報を集める能力が通常の人と比べて低くなる傾向があります。その結果、人の話す内容を正確に聞き取れずに指示と違うことをしてしまったり、人の言動を歪曲して受け取ってうまくコミュニケーションが取れなかったりと、生活上で不便なことが数多く発生します。

このような例からは発達障害を思い浮かべる人が多いですが、認知機能の弱さは発達障害に限った特性ではありません。時折、特別支援教育の対象から漏れてしまう軽度の知的障害や、明らかな知的障害ではないものの状況によっては支援が必要な「境界知能」の子どもにも、このような問題は見受けられます。そして、そうした子どもたちの多くがその生きづらさに気付かれず「厄介な子」「問題児」と大人に捉えられ、適切な支援を受けられていない現状があります。

大人たちが理解してあげないと、当事者の子どもはますます生きづらくなります。日常生活をうまく送れないことが原因で、いじめや虐待の被害者になりやすかったり、非行に走ったりする子どもは少なくありません。

私が少年院で出会った非行少年たちもそうでした。そうした生きづらさに家庭や学校では気付いてもらえず、最後に行き着いた少年院でも理解してもらえず、非行に対する反省ばかりを求められていました。このような状態の子どもたちに、「被害者の気持ちをおもんぱかれ」と従来の矯正教育をしても、あまり意味はありません。そのため同じ過ちを繰り返して、少年院に戻ってくる子もいました。つまり、私が少年院で出会ってきたのは「反省以前の少年たち」だったのです。

ただ誤解しないでいただきたいのは、「犯罪をする人間はみんな認知機能が弱い」「認知機能が弱いと必ず非行に走る」と言っているわけではありません。あくまでそのリスクが高まるという話で、注意深くケアをしてあげる必要があると警鐘を鳴らしているのです。

問題は土台となる「認知」

では具体的に、大人には何が求められるのでしょうか。何より重要なのは、「境界知能・知的障害」について正しく理解することです。

一般的には、IQ七〇未満の子どもを知的障害とみなし、特別支援教育の対象としています（発達障害の場合、IQは関係ありません）。また健常者にあたるIQ八五に満たない子、すなわちIQ七〇～八四の子どもを境界知能とみなし、通常学級での教育対象とするのですが、実は支援が十分行き届いていません。知能面で相当しんどいのに何の配慮もされず、学校でも一律に他の児童生徒と同じ教育を受けているのです。

境界知能や知的障害について、世間では偏ったイメージを持つ人も多いでしょう。

例えば、知的障害者の八割以上が「軽度」と呼ばれる状態です。軽度の人たちは普通に会話もできますし、一見すれば日常生活も問題なく送れています。

問題は、何か困ったことがあったときです。想定外のことが起こると思考が止まり、パニック状態になることがあります。一般の人なら気付けるような、ちょっとした変化や違和感にも鈍感であったりと、うまく対応できない場面がたくさんあります。

専門的な話になりますが、軽度の知的障害や境界知能の子どもたちは知能のピークが、小学六年生から中学三年生だと言われています。ですから、幼少期に頑張って勉強すれば、いわゆる有名私立学校に入れる子どももいます。ただ定義上はそこから伸びないので、適切な支援を受けられなければ授業にもついていけず、友達ともうまくコミュニケーションが取れない状況に陥ります。その結果、ドロップアウトしてしまうケースは、数多く見受けられます。

現在の学校教育では、小学校に入学するや否や、国語や算数などの教科を学びます。ですが聞く力や見る力が弱い子どもにとって、そうした学びはどうでしょうか。教科学習の土台となるそれらの力がないかれらにとって、黒板を写したり、数を数えたり、先生や友達の話を聞いたりする学びには苦しさしかないはずです。

今の学校や社会には、子どもの認知機能を見極め、ケアが必要な子を支援する体制やシステムがありません。本来ならそこが学びの出発点であるにもかかわらず、大きな問題だと感じています。

土台から子どもを支援するプログラム「コグトレ」

そこで少年院で勤務していた時代に、認知機能に課題を抱える子どものためのトレーニングツール「コグトレ」を開発しました。学習面、身体面、社会面の三つの視点から、子どもを支援する包括的なプログラムです。この三つの視点はそもそも、成長し社会で生活していくために欠かせないもので、「コグトレ」では土台となる認知機能から、これらにアプローチしています。

少年院で出会った非行少年たちに苦手なことを尋ねると、「勉強」と「人と話すこと」と口をそろえます。私は少年院や病院の他にも、小中学校現場でも困難を抱えた子どもたちと関わってきました。そうした子どもたちの多くが、少年院で出会った少年たちと共通する課題や困難を抱えていると気付いたのです。ですが、勉強についても社会性についても配慮がされず、できないままにされている。この「コグトレ」を活用すれば、そうした学校や家庭でも困っている子どもを見つけ出し、支援できるはずだと、学校や家庭向けにアレンジしたワークシートも同時に開発しました。現在この「コグトレ」はさまざまな本として発売されています。

「コグトレ」では、支援対象である困っている子どもの特徴を「5点セット+1」に整理した上で、点つなぎや間違い探しなどのワークを通してトレーニングしていきます。

「5点セット+1」とは、①認知機能の弱さ②感情統制の弱さ③融通の利かなさ④不適切な自己評価⑤対人スキルの乏しさ——と、「身体的不器用さ」です。「身体的不器用さ」については、小さい頃からスポーツをしている場合などは、当てはまらない子どももいます。

◆困っている子どもの特徴

①認知機能の弱さ

▽聞く力や見る力が弱い、またその受け取る情報がゆがんでいる

▽見えないものを想像する力が弱い（他人の気持ちを思いやる、予定を立てるなど）

②感情統制の弱さ

▽すぐに「イライラする」と言う

▽カッとするとすぐに手が出る

③融通の利かなさ

▽思い込みが激しい

▽行動する前から一つの結果だけを信じ込んで突き進みやすく、予想外のことが起こるとパニックになる

④不適切な自己評価

▽変に自分に自信を持っていたり、極端に自信がなかったりする

▽自分のことは棚に上げて、人の欠点ばかり指摘する

⑤対人スキルの乏しさ

▽友達や親、教師といい関係をつくれない

▽嫌なことを断れなかったり、冗談が伝わらず周りの会話についていけなかったりする
※身体的不器用さ
▽人や物によくぶつかる
▽物をよく壊す

「認知機能の弱さ」に関するトレーニングでは、注意力を付けることがベースにあります。例えば見る力のトレーニングでは、見本を模写したり、複数枚の似たような絵の中から同じ絵を二枚見つけるワークをしたりします。聞く力に関するものでよく使っている言語性ワーキングメモリ（短期的な情報記憶・処理能力）を活用したワークを一つご紹介しましょう。

読み上げる三つの文章から、最初の単語だけを覚えて書きましょう。ただし途中で動物の名前が出てきたら、手をたたきます。

・サルの家には大きなツボがありました。
・大急ぎでネコはそのツボの中に入ろうとしました。
・ツボを壊そうとイヌが足で蹴りました。

この問題だと、読み上げを聞いて「サル」「大急ぎ」「ツボ」という言葉を覚えておき、最後にまとめてノートなどに書くのですが、その途中で「サル」「ネコ」のように動物の名前が出てきたら手を叩く。このように二つの作業を同時に行うという認知機能トレーニングで、ワーキングメモリを強化し、また注意力を付けていきます。

他にも感情をコントロールするトレーニングでは、ある場面を描いたイラストを見ながら、登場人物たちがどのような気持ちか、何があったのかなどを想像して記述します。人物の表情を読み取ったり、複数の人物の気持ちや背景を考えたりすることで、同じ場面でも人によって抱く気持ちや価値観が違うことに気付いていくワークです。

子どもたちは教科の問題が解けないと落ち込む場合が多いですが、「コグトレ」は間違い探しやパズルなどゲーム的要素があるので、楽しみながら取り組めます。うまくできなくても、子どもたちが傷ついたという話はこれまでほとんど聞いたことがありません。

子どもを加害者にも被害者にもしない

世の中には、学校でしか救えない子どもたちがたくさんいます。

私は児童精神科医としてさまざまな子どもと関わってきましたが、支援を必要としている子の中で、病院に来ることができるのはほんの一握りです。それ以外の子どもたちは支援が必要であるにもかかわらず、家庭でも学校でも気付かれず、苦しい思いを抱えています。虐待を受け、いじめに遭い、心も体もボロボロに傷ついている子も、少なくないでしょう。

かれらがそのまま成長して、大人になったらどうなるでしょうか。無事に社会に出られたとしても、周りの環境に馴染めず、生きづらさを抱えたまま、社会に「忘れられた存在」として生きざるを得ない現状があります。そうして傷つけられて被害者になるばかりか、犯罪の加害者となってしまう恐れもあるのです。

一方で、現在の学校教育にも課題があります。

前述の通り、子どもへの支援は大きく分けて、学習面、身体面、社会面の三つに分類できます。この中で何が一番大切かと学校の先生方に尋ねると、ほとんどの方が「社会面の支援」と答えます。しかし、そのために学校でどのような取り組みをしているかと聞くと、「何もしていない」との答えがほとんどなのです。

「社会面の支援」とは対人スキルや感情のコントロール法、問題解決力など、生きていく上で欠かせない能力を育むことです。先に挙げた、他の人の発言を歪曲して受け取ってしまう例のように、これらのどれか一つでも欠けていたら、社会で円滑に生活できません。いずれ社会へと巣立ち自立しなければならない子どもたちにとって、最も大切な支援の一つであるはずです。

しかし、現在の学校教育は、それを系統立てて支援する体制が全く整っていない状況がありります。すぐにカッとしてしまう子どもには感情のコントロール法を、人に質問したり物事を頼んだりできない子どもにはその方法を、一から丁寧に教える必要があります。多くの子どもは生活の中で自然に身に付けていくこれらのスキルですが、知的障害や発達障害の疑いのある子どもたちにとってはなかなか難しいことです。

ですから、学校集団の中で系統的に学ぶしか方法はありません。それが学べないという環境が、問題行動や非行につながる一因になるのです。それは逆にいうと、学校で社会面の支援を行うことで多くの子どもたちが救われるということでもあります。

今後も「コグトレ」のような学校で子どもたちの学習面、身体面、社会面をフォローできる情報を発信して、支援を必要とする子どもたちに行き届く環境をつくっていきたいですね。

（板井海奈）

FUTURE EDUCATION!

#11 髙橋一也
堀尾美央
正頭英和

Think Globally, Act Locally

グローバル・ティーチャーが語る世界の最前線

左から髙橋氏、堀尾氏、正頭氏

たかはし・かずや　工学院大学附属中学校・高等学校ラーニング・マネージャー．
ほりお・みお　滋賀県立米原高等学校教諭．
しょうとう・ひでかず　立命館小学校教諭，ICT 教育部長．

教育界のノーベル賞といわれる「グローバル・ティーチャー賞」。英国の非営利教育団体「バーキー財団」が二〇一四年に創設し、世界中の優れた功績のあった教員を表彰している。一六年に日本人として初めて「グローバル・ティーチャー賞」トップ10に入った髙橋一也氏、一八年に同トップ50に入った堀尾美央氏、一九年に同トップ10に入った正頭英和氏が公開鼎談で、いま世界水準で求められる「未来を生きる子供の力」を育むための実践を語った。

「グローバル・ティーチャー賞」の実践

髙橋　「グローバル・ティーチャー賞」では、レゴブロックを用いたアクティブ・ラーニングの授業などが評価されました。私は二〇〇六年から米国の大学に留学し、最も効果的な教育を設計・開発するための方法論「インストラクショナル・デザイン」を研究してきました。レゴを使った活動も含め、現在はその理論をベースにした実践を具現化しています。

子供たちが「知識」を獲得するためには、自分で考えて学び、何かをつくって、なおかつそれを友達とシェアすることが必要だということが分かっています。よく「なぜ、レゴを使って授業をするのですか」と聞かれるのですが、「言葉」も「レゴ」も、知識を獲得するための道具の一つです。私の実践は、普段学びで使われる「言葉」を「レゴ」に置き換えただけにすぎません。授業の狙いは「知識」や「思考」を具体化して、それをみんなで共有し、学びの共同体をつくることです。私は何かを「つくって学ぶ」ことを重要視しています。教師がただ黒板に書いて子供に教えるだけではなく、子供自身が主体的に何かをつくってみんなで共有する。そうした活動によって、初めて「学び」は深まると考えています。

堀尾美央氏

堀尾　私は、勤務校と海外のさまざまな国の学校をスカイプでつないで行った遠隔授業が、ノミネートの理由です。授業を通じ、生徒たちに英語を学ぶ意義やコミュニケーションの楽しさを伝えられている点が評価されました。

私は英語教師で、勤務している公立高校は滋賀県内では中堅の進学校にあたります。普通科が五クラスと理数科が一クラス、一学年二四〇人ほどの生徒が在籍しています。

地方の田舎にある高校ということもあって、生徒たちの英語を学ぶことに対するモチベーションはなかなか高まりません。「なんで英語を勉強するん？」「英語なんて話す機会も無いし、必要性ないやん！」と生徒は言います。確かにその通りだとも思いますし、結局「受験に必要だから」と答えざるを得ない自分が、とても嫌でした。

私自身は英語でコミュニケーションを取るのが好きなので、どうにかして生徒たちにそうした機会を与えられないかと悩みました。そうして始めたのが、インターネットを介して諸外国の生徒と交流する活動です。これまでパキスタンやレバノン、ナイジェリアなど、三〇カ国あまりの学校と、授業や部活動を通じて交流してきました。英語圏ではない国も含めた多様な英語に触れ、「自分たちの英語」を認識できるというのも、この活動の意義だと思っています。

正頭　僕が取り上げられたのは、英語の授業にゲームの「マインクラフト」を取り入れたＰＢＬ（課題解決型学習）です。「マインクラフト」とは、全てが立方体のブロックでできているネット上の世界に、森や湖などの自然、城などの建造物を作り上げていくゲームです。児童たちが取り組んだのは「「マインクラフト」で京都の街を世界に紹介しよう」というプロジェクトで、社会や図工の知識の活用、プログラミング、英語など教科横断型の学習です。

京都には全部で一七の世界遺産関連文化財があります。僕がいる立命館小学校は京都市のほぼ真ん中にあるため、それら全ての世界遺産に三〇分以内で行けます。本プロジェクトは、こうした地域性を生かした活動でもあります。

ただ「マインクラフト」で建物を作っただけでは、「世界に紹介しよう」といっても、海外の人は何のことだか分かりません。そうした中、児童たちは「京都の街を案内する観光ガイドが必要だ」ということに気付きました。「世界中の人に対応するために、二四時間態勢で誰かが待機できるか」という問いから「ロボットを置く」という結論に達し、児童が自ら動きやセリフをプログラムしたロボットに対応させることにしました。

プログラミングする前の段階で、児童たちは実際に現地へ赴き、海外の方を英語でガイドしました。海外の人はどんなところに注目して、どんな疑問を持って、どんな質問をするのかを実際に体験したのです。こうしたリアルな体験がないと、観光ガイドは偽物になってしまいます。

正頭英和氏

僕は英語教師なので、子供たちに英語をマスターさせることを第一の目標としています。でも英語を学ぶだけなら、YouTubeを見たり、海外に行ったりした方が早い時代です。一クラス三〇～四〇人の児童生徒を相手に一人の教師が一斉に教えるというやり方は非効率です。これからは、ただ英語を教えるだけでなく、プラスαで何かを教えることが必要だと思っています。

点数だけでなく生徒の姿も変える

高橋　米国で研究活動に従事し、日本に帰って来て私学の英語教諭として勤務することになった時点で、やりたいことはたくさんありました。しかし、自分がやりたいことをやるためには、まず自分の実力を証明し、周りから認めてもらわなければいけません。第一に、私学では大学進学実績を出さないと誰も認めてくれません。ですから米国から帰国後の三年間は、とにかく進学実績を出すことに専念しました。

生徒から「この先生の授業はすごく変わっているけど、必ず結果も出る」と言われるようになり、誰が見ても明らかな学力の向上と進学実績を出せるようにしていきました。そうして結果が出ると、何をやっても文句を言われなくなりました。

レゴブロックを使った実践については、コスト面での壁がありました。レゴを買いそろえる予算がなかったので、中一から高三までの全保護者宛てに「ご自宅でいらなくなったレゴをくださ い」と手紙を書いて、レゴをかき集めました。そうしてある程度レゴが集まった段階で、それを使った授業で実績を作り、さまざまな研究助成金に応募しました。そうして二〇〇万〜三〇〇万円ほど研究助成金が集まったら、レゴを買い足してさらに実績を重ねる。その後、さらに新たな研究助成金を得て、レゴを買う――といった形で、サイクルが回るようになってきたんです。

堀尾　私も髙橋先生と同じで、最初は「結果を出す」ことにこだわりました。ただ、私の場合は、進学実績や定期テストの点数ではなく、「生徒がついてきてくれるか否か」という視点で「結果」を捉えていました。

スカイプを取り入れた活動を最初に行った学年は、高校三年生でした。全生徒が受験モードの中、「こんなことをしている場合じゃない」という空気はありましたが、実際にやってみると、全員が顔を上げて目を輝かせている。そんな生徒たちの表情を見て、私は間違っていないと思いました。

この活動を行ったことで、大学に受からなかったとか、テストの点数が下がったとかいったことがあれば、恐らく批判にさらされていたと思います。でも、そうはなりませんでした。

それまでの授業でディベートやディスカッションをたくさんやってきて、生徒たちの多くは「自分たちは英語ができる」と思っていました。でも、実際にスカイプを使って海外の生徒と対話したことで、「いざ外国の子たちと英語で話すとなると固まってしまい、自分たちが思っているほどは英語ができない」ことが分かったと言います。

生徒たちは自分の英語力の現実を突きつけられましたし、私自身もこれまで何を教えてきたんだろうと考えさせられました。「これまで通りの授業では、英語でコミュニケーションを取ることができない」という事実に、生徒も教師も気付かされたわけです。

正頭　僕の実践では、はじめ子供たちは「マインクラフト」を大喜びでやっていましたが、それでは楽しいだけで終わってしまいます。そうした「好き！」「楽しい！」の入り口から、外国人を相手に京都をガイドするために必要なことを自分で調べるうち、自分はいま何ができなくて、何ができるようになるといいのかを考え、目的意識を持って英語を学ぶことにつながりました。

　このように、さまざまな入り口の先に、狙いを持って子供が学ぶように促していくのが、教師の役割だと思いますね。

世界では優れた先生ほど社会貢献を考えている

高橋　授賞式はドバイで行われたのですが、その場で同じく「グローバル・ティーチャー賞」にノミネートされた先生と交流し、取り組みを学べる機会があります。私が印象的だったのは、食育で学校を変えようとするニューヨークの先生でした。ニューヨークの子供たち、特に貧困層の子供たちは、コーラとポテト漬けになっているような状況なのですが、その学校では食べ物を校内で栽培する活動を通じ、子供たちが自分で育てたものを食べるようになりました。その結果、栄養状態も良くなり、勉強にも集中できるようになったそうです。
　また、ベネズエラには公的融資で子供たちに音楽教育プログラムを提供する「エル・システマ」という組織があります。ベネズエラは貧困層の割合が非常に高く、子供たちを取り巻く環境も劣悪です。そうした状況下でどうすれば良い教育ができるのか。考えた末、子供たちをオーケストラに入れ、無料で借りてきた楽器で音楽をやらせてみようとなったのです。

「エル・システマ」によってベネズエラの教育は少しずつ改善され、子供たちの非行も減っていきました。「エル・システマ」で育った子供たちの中からは、ベルリン・フィルハーモニー管弦楽団の指揮者など、世界的に素晴らしい音楽家も生まれています。

このように、世界にはコミュニティーを巻き込む圧倒的な力を持った、スケールの大きい先生が数多くいます。何より、社会貢献を考えている実践者が多いですね。

髙橋一也氏

堀尾　私が感銘を受けたのは、オーストラリアの〝YouTuber 先生〟です。二〇一八年の「グローバル・ティーチャー賞」でトップ10に選ばれたシドニーの公立高校の数学教員で、自分の全授業をYouTube 上で公開しています。
公開しようと思ったきっかけは、何年か前に教えていた一人の生徒だったそうです。末期がんになり、余命いくばくもない状況で、勉強がとても好きでしたが、病院にいるためできません。この生徒にどうにかして授業を受けさせる方法はないかと考え、YouTube 上に自分の授業を公開したのです。授業内容が素晴らしかったこともあって、動画はどんどん広まりました。

でも、彼は本当にごく普通の先生でした。「こんなことになるとは思っていなかった」「本当にただ一人の生徒を助けたいと思っただけなんだ」と語っていました。

彼の実践は、これからの授業について考えるきっかけにもなりました。もう学校の授業を受けなくても、YouTubeなどで事足りるんじゃないか。彼と出会って以降、これからの学校の授業はどうあるべきなのかを問い続けながら、授業をしています。

Think Globally, Act Locally

正頭　僕は二〇一九年に最優秀賞を獲得した、ケニアの数学・物理学教師ピーター・タビチ氏と意気投合しました。同い年ということもあり、フォーラム中に多くのことを語り合いました。

彼は給料の八割を自分の学校に寄付し、サイエンスクラブで生徒たちの才能を育てることに注力しました。特に女子生徒の活躍が目覚ましく、彼のサイエンス教育を受けた女子生徒がケニアの大きな科学賞で優勝するなど、結果を出している点も評価されていました。

もう一つ印象的だったのは、ブラジル・サンパウロの先生の実践です。サンパウロにはストリートチルドレンがたくさんいて、街にはごみがたくさん散らかっています。その先生は、ストリートチルドレンを集めてごみを拾い、それでロボットを作るプロジェクトを行っていました。この活動によって他の人たちもごみを集めるようになり、街が美しくなったそうです。

どちらの実践も素晴らしいと思いました。ただ、これら二つの実践は、日本でやろうと思ってもできません。ピーターの実践も貧しい国だからこそ求められ、できた実践であり、世界のどこでも誰でもできる実践ではないと思うんです。

ポイントになるのは、実践がどれだけ地域に根差しているかということです。僕の実践も京都だからできた実践ですし、お二人の取り組みにもそういう側面があると思います。その地域で、その先生にしか解決できないミッションが、必ずあります。僕は世界中に先生という存在がいるのには、そうした意味があると思っています。

堀尾先生のおっしゃるように、共通の知識・技能を教えるだけだったら、いまや YouTube で十分です。でも、その地域の問題は、その地域の先生にしか解決できません。「Think Globally, Act Locally（世界規模で考えて、地域でできることをやる）」という言葉があります。世界各国の優れた先生の取り組みから分かるように、こうした意識を持って子供たちと向き合うことが、今後求められるグローバル・ティーチャーの資質なのだと思います。

（編集部長　小木曽浩介）

Ⅳ　ポストコロナの学校像

#12 平川理恵

コロナ危機で問われる学校の本質

ピンチをチャンスに変える思考

ひらかわ・りえ　京都府生まれ．2010年に公募で女性初の公立中学校民間人校長として横浜市立市ケ尾中学校に着任．18年4月から広島県教育長．子供一人一人に最適な学びの提供を目指す教育改革を牽引する．

新型コロナウイルスの影響により長期にわたった二〇二〇年三月からの一斉休校は、デジタル化が遅れる日本の学校教育の脆弱性を露呈させた。女性初の公立中学校民間人校長から広島県の教育長に抜擢され、学びの変革を行っている平川理恵氏は、この危機をどのように捉え、乗り越えようと動いたのか。平川教育長は学校現場が改めて学校や教育の意味を自問自答する過程で、新たな時代の学校教育の姿が浮かび上がると確信する。

オンライン教育のための「三種の神器」確保に奔走

二〇二〇年に世界中でパンデミックを引き起こした新型コロナウイルスとの戦いは、想像以上の長期間に及ぶかもしれない。そういう覚悟が必要です。日本でも感染者数が増加していた三月末ごろに、英国ロンドン在住のWHO（世界保健機関）関係者である感染症の専門家から話を聞く機会がありました。その専門家は次のように指摘しました。

「こうなると（全人口の）七割が感染しない限り、先は見えない。一〇〇年前のスペインかぜでも、第一波が収まったと思ったら、第二波、第三波が来た。歴史から学ばないといけない。通常、ワクチンができるまで五年は必要だ。急いでも最低一八カ月はかかる」

それを聞いて私は「少なくとも一年、最悪の場合は二年から三年、学校を通常通り開けられないかもしれない」と腹をくくりました。

新型コロナウイルスが完全に終息していない中での学校生活は、短期的に見れば、その問題構造はシンプルです。突き詰めれば「「感染リスク」と「学びの機会の確保・子供たちの心身の発達」のどちらを優先するか」ということでしょう。学校は常に両者の間で揺れ動いているのです。

さらに、未知の脅威に対する漠然とした不安や心配という要素もその判断に影響を与えます。人々の不安や心配を完全に取り除き、納得してもらうのは、どんなに説明を尽くしたとしても至難の業です。しかし、仮に感染リスクを絶対ゼロにすることが求められるのであれば、いつまでも学校は開けません。

一方で、それらの要素を総合的に見て、やはり「再び休校にせざるを得ない」と判断した場合、「学びの機会の確保・子供たちの心身の発達」はどうなるのでしょうか。

そこで注目されているのがデジタル技術の活用です。子供たちが教室に集まり、教師が直接教えるリアルな授業ができない以上、頼りになるのがインターネットを活用したオンライン教育です。

しかし、この代替案を実現するには「三種の神器」が必要です。それは「デバイス(端末)」「通信手段(Wi-Fi環境など)」「アカウント」です。インターネット上に設けられた仮想の「教室」で、子供たちがそれぞれのデバイスから各自のアカウントで入室して授業を受けたり、課題に取り組んだりするのです。

問題は、その三種の神器をどう確保するか。広島県では、グーグルが教育機関向けのアプリを集約したクラウドサービス「Google Classroom」を学校で活用できるようにすべく、県内に住む小学生から高校生までの子供一人一人にグーグルのアカウントを配付することにしました。

当然ながら、デバイスと通信手段の提供にはコストもかかります。このための二〇二〇年度補正予算として約八億八〇〇〇万円が県議会で可決されましたので、早速調達を進めました。

しかし、世界的にリモートワークやオンライン教育への移行が加速したため、デバイスやモバイルルーターなどの在庫が不足し、必要な数を確保しにくくなっているのが現状です。場合によっては、子供や保護者、教職員の私物を使うことも想定して、この非常時を乗り越えるしかありません。子供たちの学びの機会を確保するためには、今すぐにできることから着手するしかないと思っています。

オンラインをリアルで補う

学びの機会の確保策として、オンライン教育は有効な手段ですが、それにも限界があります。やはり、学校のリアルな授業でしか得られない学びや、子供たちが同じ教室で過ごすことの価値など、オンラインでは補いきれない側面があるのも事実です。

人間は社会性のある生き物なので「オンラインだけでは何か満たされない」というのが実情でしょう。また、小学校、中学校、高校、特別支援学校と校種も異なれば、発達段階や成長過程も幅広く、オンラインで全ての学びが完結することはありえません。リアルな学校でないと難しいものも少なくないのです。

そこで、広島県では休校の長期化を受けて、五月中旬から県立学校で「自主登校」を始めました。これは、休校中であっても自主的な登校を認めるというものです。あくまで自主的なものであることから、学校に来ても来なくても、出席にも欠席にもしません。自主的に参加する補習のようなイメージです。

新型コロナウイルスが終息するまでの間、学校がこれまでと同じように授業や行事を行おうとすれば、密閉・密集・密接の「三密」を回避することは非常に難しいでしょう。しかし、再び長期間の休校になったとしても、感染リスクを考慮しつつ自主登校を認め、週に何度か登校できるようにすれば、オンラインではできない部分をリアルな学校で補完できます。

学校における感染防止対策としては「感染源を断つ」「感染経路を断つ」「集団感染のリスクに対応する」の三つがポイントになります。これは、子供に対してだけでなく、教職員に対しても同じです。

感染源を断つためには、子供や教職員で発熱などの風邪の症状が見られる場合は、自宅での休養を徹底することが必要です。広島県の場合、登校前に各家庭で県が用意した「健康観察カード」に、子供の体温や体調不良の有無を記録してもらうようにしました。

感染経路を断つためには、手洗いやせきエチケットを学校や家庭で徹底します。学校では、特に多くの子供が直接手を触れるドアノブや手すり、スイッチなどは、丁寧に消毒や清掃をして、衛生状態を良好に保つようにしました。

そして、集団感染のリスクに対応するためには、一時間に一回程度の換気や「三密」の回避を徹底するようにしました。いずれも基本的なことであり、一つ一つの対策はささやかなものですが、確実に、徹底的に、継続的に実践することが大切です。根気強く続けていくには、学校や家庭の大変な努力が求められるのです。

もう一つの課題として、休校が長期にわたると、環境の変化などから、子供が不安や悩み、ストレスを抱え、心理的に不安定になることが考えられます。家庭との連絡体制や教職員の支援体制の整備に、しっかり取り組まなければならないと強く思いました。

「個別最適化された学び」の実現へ

いまはまだ、この新型コロナウイルスへの一連の対応を総括できる時期ではありません。しかし、このことを契機に、やはりデジタル技術の重要性を再認識させられたことは確かです。また、子供たちや社会にとって、学校の果たしている役割、果たすべき役割について、みんなが真剣に考える機会になったと思います。私は地方教育行政の長として、緊急時に必要な新しい発想や機動性を発揮するためには、改善すべきところがまだまだあると痛感しました。

実は、この危機を迎える前から、広島県では二〇二〇年度より、県立高校の八一校中三五校で、保護者が費用を負担して生徒のパソコンを購入するＢＹＯＤ(Bring Your Own Device)方式による一人一台環境の実現を決めていました。教育委員会の中に「学校教育情報化推進課」という部署も立ち上げ、一六人もの精鋭をそろえて学校教育のデジタル化に本格的に着手していたので、いわば「助走」している状態だったのです。

それでもやはり「緊急時に何ができるのか」が課題になりました。教育委員会のスタッフには「いまは平常時ではない。さまざまな制約があるのは承知しているが、「必要だができない」ではなく「できるとしたらどうすればよいのか」を考えてほしい。できない理由を見つけるよりも、それを乗り越える世界観の共有や、できる方法を創出してほしい」と繰り返し伝えました。

新型コロナウイルスによって、私たちはこれまでの生活スタイルや世界観を考え直す必要に迫られました。この状況をしのいでいく手だてだけを考えるのではなく、「ポストコロナ時代」を前提に、生き方や在り方そのものを考えるときが来たのかもしれません。

教育委員会も学校も早急に取り組まねばならないことは、事業計画の見直しと組織再編です。計画していたものを「できること」「できないこと」「形を変えてやるべきこと」「新たな対応」という四つに仕分けし、それに合わせて人員の配置をはじめ、リソースの再配分を行う必要があります。それは、当面の対応だけにとどまらず、将来を見据えたものでなければなりません。

学校であれば、例えば、予定していた運動会、遠足などの行事や部活動はできなくなるだろうと想定する。すると、教員はどうやって子供たちと向き合えばよいかを一所懸命に考えるようになります。そうなれば、「学びの機会の確保だけはおろそかにできない」という結論がおのずと出てくるはずです。

デジタルを活用した授業が最適だと判断すれば、デジタル技術の活用に必要なスキルを磨く必要があります。学校のリアルな授業であれば一コマ五〇分でやる内容を、オンラインではポイントに絞って五分の動画にまとめる、英語のスピーチやダンス、レポートなどのパフォーマンスを評価する課題を出すときは、あらかじめ、どのような規準や観点で評価を行うかを子供たちに提示しておくなどの工夫をしなければなりません。教員が子供たちの学びと向き合い、自分自身の指導を見つめ直す過程で、学びを導く「問いの立て方」や「ファシリテーション」の力が本当に問われてくるのではないでしょうか。

こういう問い直しを通じて、子供たちの「学びたい！」「やりたい！」というモチベーションを発揮させる持続的な学習環境が構築されることを期待しています。

例えば、オンライン上では、学校と子供たちが「いつでも、どこでも」つながる一方、実社会でボランティアや職業体験をしたり、地域の文化サークルやスポーツクラブに参加したりできる。学校はそうした多様な学びをファシリテートする。

最終的に目指しているのは、一人一人の子供が主体的に学び、その能力を最大限伸ばしていける状態です。そのための一番の課題は、教員の意識をどう変えていくか。子供に対して「教えなければならない」という意識を変えるのは、とても難しいことです。

一人一人の子供に合った「個別最適化された学び」は、内容やその進度の最適化だけではなく、場所や手法においても個別最適化されなければなりません。教育委員会はそうした子供中心の学校、子供中心の学習環境の構築を進めていく必要があり、また、その責任があると考えています。

危機だからこそ学校の本質を問い直す

かつてないほどの長期にわたる休校で、「学校とは何か」が問われました。

江戸時代の藩校や寺子屋は、異年齢集団による学び合いが当たり前で、子供は仲間との問答、すなわち、教え合いや学び合いを通じて自分自身の学びを認知する「メタ認知」を行って、自身の行動や考えを深めていきました。ところが、明治維新を迎え近代学校制度が普及すると、こうした異年齢集団の学び合いは失われ、一斉講義型の授業が主流になっていきました。

富国強兵や戦後の高度経済成長を支える上では、こうした仕組みも一定の役割を果たしたと思いますが、いまはＡＩの時代です。激しく変化する社会を生き抜いていく子供たちをどう育てていくのか、改めて考え直さなければいけません。

新型コロナウイルスによってこれまでのライフスタイルや働き方ができなくなったいまだからこそ、学校教育も、その本質を見直してみてほしいのです。学校には、授業以外にも行事や部活動など、さまざまな活動があります。教師は授業以外にも行うべき業務をたくさん抱えています。そして、学校で教えていること、子供が得るものは教科書に書いてある知識だけではありません。

考えてほしいのは、何を残し、何を捨てるのかということです。非常時だからこそ、限られたリソース（ヒト・モノ・カネ）の最適化がいつも以上に求められます。「形骸化したものはないか」「大事だと思い込んでいるだけではないか」と、既存のものをクリティカルに検討せざるを得ないタイミングなのです。

それは教育委員会にも言えます。実を言うと、湯崎英彦県知事から教育長になってほしいと言われたとき、私は、横浜の中学校の校長でしたが、校長が責任を持って学校組織を引っ張っていけるなら、教育委員会は不要だと本気で考えていたのです。

そんな思いがある中で広島県教育長を引き受けたのは、もう一度、教育委員会を定義し直そうと考えたからです。教育長として着任してすぐ、教育委員会の事業について説明を受けました。それを聞いて、校種ごとにこんなに多くの事業が本当に必要なのかと疑問に思いました。そこで、決断するのは肩書に「長」の付く人の役目ですから、遠慮なく事業の廃止や縮小を指示して、選択と集中を図りました。

一度始めた事業はなかなかやめられない事情も分かりますが、事業そのものが機能していなければ意味がありません。本当に学校や子供のためになる事業だけに精選し、そのためのリソースを工面するのが教育委員会の役割です。大切なのは、実務の優先順位を付けること。どの教育委員会も、そうした視点でやるべきことを見直し、地域や子供に合わせて作り上げていくべきです。その課題が顕在化したのが、このコロナ危機だったのだと思います。

学校も教育行政も、本質を問い直し、原点回帰すべきときはいまです。まさに「ピンチをチャンスに!」です。

（藤井孝良）

FUTURE EDUCATION!

#13 新井紀子

読解力低下を「読み解く」

いま求めるべきは自学自習できる力

あらい・のりこ　東京都生まれ．国立情報学研究所教授，一般社団法人「教育のための科学研究所」代表理事・所長．著書『AI vs. 教科書が読めない子どもたち』（東洋経済新報社）で子供の読解力低下を世に問うた．

OECD（経済協力開発機構）が実施した生徒の学習到達度調査（PISA）の二〇一八年の結果では、日本の子供の読解力低下が懸念された。「ポストコロナ」で学習の遅れを取り戻そうと躍起になる学校の焦りに、読解力研究をリードしてきた新井紀子教授は警鐘を鳴らす。

日本の読解力低下を浮き彫りにしたPISA

二〇一八年のPISAで、日本は「読解力」の分野で参加七九カ国・地域のうち一五位となり、前回調査に続いて順位が下がりました。これまでの推移を見ると、順位が落ち込んで「PISAショック」と呼ばれた二〇〇三年調査以降、文科省がテコ入れをして持ち直したのに、読解力は再び落ち込み始めた構図に見えます。しかし、実際のところ、学校教育の在り方がPISAの順位にどう影響したのかは、科学的にはよく分からないように思います。

順位はあくまで相対的なものであり、「一五位」といっても、他の国や地域が上がったのか、日本が下がったのか、もう少し分析する必要があります。ただ、私が取り組んでいる、読解力を測定するリーディングスキルテスト（RST）の結果と重ね合わせると、ここ五年ほどで中学生の半分くらいが、何らかの意味で教科書が読めない状態で高校入試を受けたり、中学校を卒業したりしているのは確かです。

あえて相対的順位に着目すると、今回、日本の順位が米国よりも低かったことには正直衝撃を受けました。米国は州によって教育制度が大きく異なるし、英語を母語としない移民が多い地域もあり、格差が大きいにもかかわらず、学校でそれなりに読解力を身に付けさせているようです。それに対し、日本語を母語とする子供が大半であるはずの日本の読解力が米国並みなのはショックでした。「読むこと」「書くこと」に関するこれまでの日本の教育が、いかに科学的でなかったかが浮き彫りになったのではないでしょうか。

日本の国語教育は「日本人なら日本語の読み書きは自然に身に付くはずだ」という前提に立っています。ノートの取り方や記述式問題の答え合わせの方法を国語の授業の中で教わる場面はほとんどありませんね。みんな「何となく」できるようになっていたわけです。

これまでの日本社会は「一億総中流」と言われ、格差が現在よりも見えにくく、多様化していませんでした。国民の間で、勤勉と努力によって学歴さえ身に付ければ良い暮らしができるという信念が共有されていました。テレビ・ラジオ・新聞という共通のメディアに親しんでいたことも奏功したのかもしれません。国語教育をそこまで科学的に組み立てなくても何とかなっていたのでしょう。
しかし、そんな状況は急速に崩壊を迎えました。それでも日本は「教育立国」としてのプライドがあるので、「失われた三〇年」で日本のものづくりが世界の潮流に対応できずに競争力を失っていったのと同様、教育現場も年々荒廃しています。科学的な分析をせずに、起こっている問題を一つの事象としてしか捉えてこなかったツケが回ってきたのです。

AIに代替されないための基礎読解力と国語教育

二〇一八年のPISAで用いられた問題には、ブログなどから情報を読み取り、信憑性《しんぴょうせい》を判断させるものもありました。このような問題をOECDが出題した狙いは二つあると思います。

一つ目は、その人が「本当に読めているか」、汎用的な基礎読解力を測ることです。これから社会がますますデジタル化する中で、いままで人間が行ってきた仕事のかなりの部分を機械やAIが担うようになります。そういう状況の中で、機械に代替されない働き方ができる人、そういうリテラシーを身に付けた人を育てなければ、確実に格差が広がってしまいます。この点は、RSTの問題意識も同じです。その人の汎用的な基礎読解力を測ることは、今後、会社におけるその人の生産性を問うことと同義になるでしょう。

もう一つの狙いは、情報の整合性に対する判断力を測ることです。世の中の膨大な情報の中には、デマやうそもあれば、詐欺を狙ったものなども含まれるので、情報の信憑性や整合性を判断する力も重要になってきます。しかし、それはあくまでも、基礎読解力を身に付けた上で問われるものだと思います。

ＰＩＳＡとＲＳＴの結果で違いを挙げるとすれば、読解力の高さと読書量の相関です。ＰＩＳＡでは、読解力は読書量との相関が高いのに、ＲＳＴではそれが認められませんでした。ＲＳＴが測る科目によらない汎用的読解力は、文学主体の読書だけでは身に付かないのではないかと思います。

文学の場合、ストーリーがあり、主人公の行動や情景描写、心情の変化などに着目しつつ読んでいきます。それに対して、文学以外の大半のテキスト——新聞や法律、取扱説明書や学術書などが含まれます——を読み解くには、データや言葉の定義などを正確に読みこなし、ファクトをファクトとして読む力が求められます。つまり、文学とそれ以外のテキストでは、そもそも求められる読み方が異なるのです。

ところが、日本の国語教育では文学的な読み方が重視され、汎用的読解力の育成はおろそかになりがちでした。

そんな中、二〇二二年度から実施される高校の学習指導要領では、国語の選択科目に「論理国語」が加わりました。未だ対象とするテキストは狭いですが、汎用的読解力の育成を目指す上での第一歩になることが期待されます。

私は、古典や詩を暗唱したり、文学作品を読んだりすることを否定しているわけではありません。しかしながら、「文学の中にも論理はある」との理由で、「論理国語」の導入を批判する人の考えには賛同できません。文学をたくさん読めばどの分野にも通用する読解力は身に付くという根拠が、全く示されていないからです。実際、文学を読むのは好きだが、同じ日本語で書かれているにもかかわらず、理数系の教科書を含む説明文を読むのは苦手という人は少なくありません。もし文学を読むだけで分野を問わない汎用的読解力が身に付くならば、そのような人が数多くいることが説明できません。

現実に「ノートの取り方が分からない」「教員の指示が理解できない」という中学生が増えています。受験の際に注意事項を読めず、本来は二日間の試験なのに一日しか受けなかったというケースもあったと聞きます。

これは人生を左右しかねない問題です。格差がさらに拡大し、次の世代に連鎖することを食い止めなければいけません。格差を埋めるために、汎用的読解力を身に付けさせることは、学校教育、公教育の使命のはずです。全ての高校生に、卒業時点で少なくとも二一世紀を生き抜ける力を備えさせなければいけません。その意味でも、教科書や新聞などの基本的なテキストを正確に読める必要最低限のリテラシーを保障することが何より優先されるべきです。

「読みなさい」で読解力は上がらない

「読解力を上げるためには、もっと本や新聞を読ませるべきだ」という意見もありますが、それこそ非科学的です。読み方を教えていないのに「読みなさい」と迫っても、読めるようにはなりません。

教科書や新聞を満足に読めない子供たちが、児童文学の名作を読めるわけがありません。児童文学であっても、作中に出てくる語彙は多く、内容はかなり難しい。いまの子供には、日本昔話すらも難しすぎて読めないかもしれない。それなのに「本や新聞を読みなさい」というのは責任放棄以外の何物でもありません。読みの指導もないまま行われている学校の朝読書の時間が、その最たるものです。

いまの子供は昔に比べると、本当に筆圧が弱い。高学年や中学生になってもBの鉛筆を使っていることが少なくありません。学校は苦肉の策として、教員が板書をしたり、それを子供に写させたりする時間を減らしています。その代わり、どの教科でも穴埋めプリントを大量に出すようになりました。子供は授業の中で、プリントを埋めて、ノートに貼り付けるだけ。配られたプリントを暗記することが、定期試験対策になっている。そんな学校が少なくありません。

定期テストなら出題範囲が限られているので、何とか暗記で切り抜けられるかもしれません。

しかし、学年末の実力テストとなれば、全く対応できなくなるのは自明の理です。子供は勉強の仕方も分からなければ、ノートの取り方も分からない。自分の苦手が何なのかも分かっていないのです。

「学ぶスキル」はどの教科の学力にもつながる

そこで、ここ数年、私は東京都板橋区教育委員会と連携して、読解力の育成を目指した「板橋区授業スタンダード」の構築に取り組んでいます。「教員の教え方」の改善以上に「子供の学ぶスキル」を上げる必要があると痛感したからです。総花的だった学校の教育活動の目標を「読むこと」「書くこと」に収斂《しゅうれん》させつつあります。

板橋区のいくつかの小学校では、週に一回、手本の文章を書き写す「視写」をしています。三分間で何文字書けるようになるか学年ごとに目標を決めて、正確に何文字書けたかを確認しています。ほんの数カ月で、ノートテイキングのスキルが格段に向上します。

その成果を実感できたのは、小学四年生の理科で実施した水の対流実験の学習でした。

子供たちは前の授業で、約三五度で青からピンクに変化する人工イクラである「サーモイクラ」が入っているビーカーの水をアルコールランプで温める実験を終えていました。その様子を撮影しておいた動画を再生しながら、サーモイクラの様子が特に変わった瞬間を三カ所選んで、その変化が起きた時間と状態を四～五行の文章にまとめます。

サーモイクラの状態を表現するには、動きと色の両方について書かなければいけません。例えば「サーモイクラが上がったり下がったりしながら、ピンク色になっていった」というように、「～しながら」という表現を使う必要があります。普通の小学四年生では、こうした表現はなかなかできません。でも、視写に取り組んできたこのクラスでは、ほぼ全員がこうした文章を自ら書けたのです。驚きました。さらに、先に文章で表現し、その文章を元に図にさせたのが、この授業の特筆すべき工夫です。理科の授業ですが、国語で身に付けてきた力が発揮されたのです。

「板橋区授業スタンダード」では、こうした授業がさまざまな教科や場面で展開され、子供は教科を横断する形で学ぶスキルを上げています。子供が、勉強が分かることを実感できるようになれば、学力格差も小さくなり、学級崩壊も起きにくくなるでしょう。そうなって初めて、安心してアクティブ・ラーニングができるようになるのです。

ポストコロナで自学自習のスキル差が顕在化

二〇二〇年三月以降の学校現場では、新型コロナウイルスの影響という非常にイレギュラーな形で休校が長期化したことで、格差の拡大が懸念されています。

休校中の対策として、オンライン授業を始めた学校もあります。オンライン授業はないよりはあった方がいいですが、それでスムーズに学べるのはごく一握りの子供でしょう。もともと教室には、自学自習のできる子供と、対面での支援がないと学べない子供がいます。学びの集団の中で周りの様子を見ながら前向きに授業についていっている中間層の子供たちが、教室のボリュームゾーンなのです。特に小学二～四年生あたりは発達段階の違いもあり、自学自習のスキルの個人差が大きいと言えます。

ただ、板橋区での成果を踏まえると、休校による学力の低下は「取り返せないわけではない」とも言えます。

休校による勉強の遅れやメンタルのケアについて心配する声は多く聞こえてきますが、学習スキルの低下はあまり指摘されていません。例えば一週間、文字を書かないだけで筆圧は落ちます。筆圧が落ちるとノートを取るのが遅れ、授業についていけなくなります。

今後も感染の第三波、第四波が来れば、再び休校になることもありえます。そうなったとき、学校は、休校中に子供の学習スキルが落ちるという認識に立つことが重要です。すなわち、遅れている学習内容を無理やり詰め込むよりも、むしろ子供の学習スキルを、きちんと自学自習ができるところまで伸ばすことに力を注ぐべきです。

つまり、大量の知識を暗記させたり、計算ドリルばかりをやらせたりするのではなく、どうノートを取るべきか、どう算数の文章問題を読み解くかなど、基本的な学習スキルを身に付けさせる方が長期的にみると得策なのです。

子供に自学自習できる力さえあれば、再び休校になったとしても、教科書と教材が手元にあれば自力で学習に取り組んでいけます。どの子供も自学自習ができるレベルに持っていく。これこそがいま、学校が一番意識しなければいけないことなのです。そして、こうした問題意識は、保護者とも共有しておくことが重要です。

保護者との距離を縮める情報発信

少し話は変わりますが、私は長年、学校の情報発信についても関心を寄せてきました。東日本大震災では、多くの学校が被災し、避難生活が長期化する中で、学校ホームページが機能せず、授業の再開などの重要な情報を家庭に届けることが困難な状態が続きました。災害時でも最低限の情報は提供できるような、学校ホームページを維持する仕組みが必要だと痛感させられたのです。

そこで、私が代表を務める「教育のための科学研究所」では、さまざまな企業の協力の下、学校情報のオープンデータ化を支援する「edumap（エデュマップ）プロジェクト」を立ち上げました。学校や保育所などの教育機関に対して、使いやすい機能を数多く備えたホームページを無償で提供しています。

東日本大震災での教訓を踏まえ、エデュマップでは学校の外からでもホームページの更新ができるようにし、複数の拠点を設けることで大規模災害が起きてもサーバーを動かし続けることができます。多くの保護者が一度にアクセスしても大丈夫な技術も駆使しています。そこには全国の大学にネットワークを提供している国立情報学研究所の知見が生かされています。

また、エデュマップ上の情報は、ウェブブラウザの機械翻訳機能を用いれば、他の言語にも翻訳可能です。保護者が日本語話者でなくても、母語に変換して読めるのです。こうした設計には、私が取り組んできた「ロボットは東大に入れるか」プロジェクトの成果が反映されています。

一斉休校期間中にホームページをエデュマップに切り替えた学校では、新型コロナウイルスに関する重要な情報の更新はもちろん、配付物や課題をダウンロードできるようにしたり、分散登校での感染防止対策の様子を写真で紹介したりと、エデュマップをフル活用していました。

家庭と共有すべき情報を学校がホームページでどんどん発信することは、結果的に、学校と保護者の距離を縮める効果もあります。教員が子供たちのために懸命に頑張っている姿や学校の方針が伝われば、保護者も安心し、学校を信頼してくれるようになります。電話による個別の問い合わせも少なくなり、教員の負担も減るでしょう。

またいつ休校になるか分からないポストコロナの時代に、学校と保護者の信頼関係は欠かせません。エデュマップは、そのための重要なツールになると確信しています。

（藤井孝良）

#14 葉一

YouTubeが変える学校

100万人の視聴者が求める未来の学び

はいち　東京学芸大学を卒業後，営業職，塾講師を経て教育系YouTuberとして独立．2012年にYouTubeチャンネル「とある男が授業をしてみた」を開設．小学校3年生から高校3年生対象の授業動画や，学生の悩み相談にこたえる動画を投稿している．チャンネル登録者100万人，動画再生回数は累計3億回を超える(2020年7月現在)．

コロナ禍でニーズが急速に高まった「授業動画」。教育系YouTuberとして、小中高生に向けて授業動画を配信してきた葉一氏は、授業動画と学校教育の親和性は高いと指摘する。授業動画は未来の学びを変えるツールとなるのか。葉一氏は「学びの選択肢が驚くほど広がる」と授業動画の可能性を語る。

教育格差をなくしたいからYouTuberに

子供たちが「誰でも」「どこでも」「好きな時間に」学習できる新しい教育のスタイルをつくりたいと思い、二〇一二年からYouTubeで授業動画の配信を始めました。それには、大学卒業後にしていた塾講師の経験が影響しています。

私自身は子供時代に学習塾へ通ったことがなく、講師になって初めて学習塾の月謝事情を知り、その高さに驚きました。家庭の所得格差のせいで塾に通える子供と通えない子供がいることに、どこかモヤモヤ感を抱えながら勤務していました。その思いが、自分のやりたい教育について深く考えるきっかけとなったのです。

　そんなある日、何気なくYouTubeを見ていて、「ここで授業動画を配信すれば、誰でも無料で見られる」と思いつき、投稿を始めました。

　動画では小中学生を対象に、国語、算数・数学、理科、社会など、教科書の内容に沿ったものをメインに配信しています。また、高校受験対策や高校数学の授業動画も配信しています。

　オーソドックスなスタイルは、ホワイトボードを問題プリントに見立てて、ポイントとなる部分を空欄にして板書し、解説をしながら穴埋めをしていく形です。板書の内容はホームページ上からダウンロードでき、印刷して問題プリントとして活用できます。子供はそのプリントを手元に置いて、動画を見ながら問題を解いたり、自分で問題を解いた後に動画を見て間違えた部分だけを復習したり、それぞれのニーズに沿って活用しています。

　塾講師時代の経験からすると、学校の授業だけでは理解しきれない子、勉強が苦手な子は、教師の説明を一度聞くだけでは、「理解した気」になりがちです。そこで動画自体を問題集にして、何度も繰り返し学べる形式にすれば効果的なのではないかと考え、改良を重ねて現在のスタイルに落ち着きました。

　授業動画の主役はあくまで子供たちです。子供たちがいかに学びやすく、集中して見られるか、常に研究を重ねています。余計なことをしゃべらないようにし、画面に映すのも私の手元のみで、極力、姿が入らないようにしています。子供たちの集中を遮る原因になりかねないですし、動画を一時停止して板書を見たいときに、私の姿が邪魔してしまうかもしれないからです。

学校で行われるリアルな授業と違って、授業動画では余計な要素をそぎ落として「分かりやすさ」を徹底的に追求します。「この動画ではこれを伝えたい」という上位ポイントを自分の中で明確化して、伝えることを心掛けています。例えば、各動画には必ず学ぶ内容に沿ったタイトルをつけています。

また、授業では最初に「今日は○○を学習する」と宣言し、ポイントを整理してから、例題に移ります。「いま何をやっている時間なのか」を示すことが、分かりやすい授業の第一歩なのではないでしょうか。

授業動画は教育の三本目の柱

活動を始めた当初は、まだYouTubeが学習ツールとして認知されていなかったこともあり、厳しい意見もかなりありました。「邪道だ」「教育を汚すな」などと書かれたメールが毎日のように届きました。ですが当時は若かったので、「いつかこの動画が必要とされる時代が来る」「ここで自分の描く教育像への取り組みをやめてしまってはいけない」と使命感や反骨精神をバネに、ここまで進んできました。

今ではチャンネル登録者は一〇〇万人以上（二〇二〇年七月現在）になり、学校で講演したり、実際に授業をしたりする機会も頂けるようになりました。それでも私に不信感や嫌悪感を抱かれている現場の先生がいるのも事実です。

私が思うに授業動画はあくまで学校教育のサポート的役割で、主役になってはいけないものです。これまでの教育は、公教育である学校と、私教育である学習塾などの二本柱が担ってきました。学校の授業だけでは理解できなかったり、家庭の所得格差で学習塾に通えなかったりと、二本柱だけではカバーできない子供たちの学習ニーズを拾い上げるのが、三本目の柱である「授業動画」だと思うのです。

お金がかからず、誰でも時間や場所を問わず学習できる選択肢が今の日本にはあることを、子供や保護者、教育現場に広く知ってもらわなければなりません。

また私は授業動画の他にも、子供たちの悩みに答える動画を配信したり、ＳＮＳで積極的に子供たちと関わったりしています。動画の配信を始めた当初から、子供たちから「学校が嫌です」「いじめられています」「もう死にたいです」といった悩みを吐露するメールが届くようになったからです。最初の頃は、その一つ一つにメールで返信していましたが、視聴者が増えるにつれてメールの数も増え、返信が追いつかなくなりました。そこで、悩んでいる子供たちに、心に寄り添いながら呼び掛けようと思い、悩み事や雑談を話す動画の配信を始めたのです。

子供たちとコミュニケーションをとる際、今はツイッターを利用しています。動画の感想を寄せてくれる子や悩み事を相談してくれる子もいますし、「今日、学校の授業で葉一先生の動画を使いました」と報告してくれる子もいます。

そこで簡単な時事問題を出題するなど、ちょっとした学びの要素も盛り込みながら運用するようにしました。また、時間があるときは「おはよう」と、朝のあいさつをつぶやくように心掛けています。いつもコメントをくれる子供たちに、リプ(個別の返信)で「〇〇、おはよう」と、名前入りでツイートすることもあります。学校に行く前に私のつぶやきを見て、元気になってくれるといいなと思っています。

こうした活動をする理由は、私自身が中学時代にいじめられていた経験があるからです。そこで負った心の傷を大学生や社会人になっても引きずっていたので、学校がつらい子供たちの助けになりたいという思いが人一倍強いのかもしれません。

こういった子供たちとのコミュニケーションも、授業動画の配信と同様、あくまで子供たちが主役。私自身、さまざまなメディアで取り上げられる機会も増えましたが、「葉一が主役」ではなく、子供たちが主役の授業動画の配信や活動を進めようと心掛けています。それが発展して多くの人に授業動画という選択肢を知ってもらい、理解してもらえるならば本望です。

リアルの授業と授業動画は別物

コロナ禍により、授業動画と学校現場との距離はさらに縮まったと感じます。特に、現場の先生から動画を家庭学習の課題で使いたいといった問い合わせが、これまで以上に増えました。さらに休校中に先生が授業動画を作る取り組みが広まった影響で、教育委員会や学校から授業動画を作る際にアドバイスを求められる機会も激増しました。

ただ、授業動画が非常事態においての学習ツールとして認められた喜びがある一方で、果たして質は担保できているのかと危機感も募っています。というのも、多くの先生がコロナ禍の大混乱のさなか必要に迫られ、限られた時間で未経験の動画撮影や配信をこなしたからです。

不特定多数が見るYouTubeやネット上に授業動画をアップすると、外部からの指摘も出てきます。ネットはシビアですから、少しでも面白くないものや間違った内容がアップされると、授業動画そのものが教育として相応しくないものとして捉えられる危険性も孕んでいます。十分な準備や余裕を持って進めていける方が、配信する先生にとっても、授業動画の発展のためにもよかったのかもしれません。

授業動画と教室の授業はまったくの別物であり、ひとつの授業としてくるべきものではありません。教室の授業は目の前の子供たちに向けて、かれらの反応や表情を観察しながら、対話を繰り返すことで成り立っています。授業動画とは作り方や構成がまったく違います。ですから学校の授業がうまい先生が授業動画もうまいとは限りませんし、その逆もしかりです。

例えば学校での通常の授業は四〇～五〇分間ですが、授業動画でこの時間は長すぎて間延びしてしまいます。ポイントを整理して一五分程度に収めるのが、視聴者にとって負担が少ないでしょう。時間配分の仕方ひとつとっても、望ましいやり方が違うのです。このことは、授業動画を作る学校関係者は心に留めておかなければなりませんし、視聴する側の子供たちや保護者も留意しておくべきことです。

今の子供は、動画コンテンツに関して大人以上に目が肥えており、つまらないとすぐに停止され、集中して見てくれません。それは授業動画においても言えることなので、先生はこの動画で何を伝えるのかを明確にし、視聴者としっかり共有し、最後まで目的に向かってダレないようにすることが何より大切です。

学校×YouTuber

他方で、学校の先生が授業動画を撮影して投稿できるシステムが整備されると、子供たちの学びの幅が広がるのは確かなことで、以前から実現できないかと私は考えていました。そのためには「教育委員会や管理職から言われたから」といった義務としてではなく、先生個人が主体的になり、それぞれの興味や関心に基づいて自由に取り組める環境を整える必要があるでしょう。

例えば先生たちがチームで撮影する。授業をする先生とカメラを回す先生の間で、質問があったり、掛け合いがあったりすると、子供たちはとても楽しめ、惹きつけられると思います。そうやって楽しみながら学校の先生が授業動画に取り組められれば、子供たちは復習や新たな授業に出会う機会が増えて、学びの選択肢が広がります。

どんなに優秀な先生でも、一〇〇人全員にとって分かりやすい授業というのはできません。だから「葉一の教え方は合わないけど、〇〇の動画なら分かるぞ」と、子供たちが自分と相性の良い授業と出会えるように選択肢を与えることが、これからの教育には必要だと思います。

ここまで子供たちからはできる限りお金を取らないで、子供たちが好きな時に学べる教育像を描いてきて、まさしくその形を実現できました。教育ツールとしてある程度の認知は獲得できたので、授業動画の選択肢を増やすことがこれからの課題だと考えています。それには科目はもちろん、教える人材も増やさなければいけません。

私は学校が大好きです。それは一人一人の先生がみんな、子供のために現状を何とかしたいという強い思いを持っているからです。そしてもちろん、私自身も同じ思いを持っています。ですから、同じベクトルで手を取り合って、子供のためにより良い教育をつくっていきたい。

このコロナ禍で改めて感じましたが、学校と授業動画を掛け合わせると子供たちの学びの選択肢は驚くほど広がるでしょう。ですから、YouTuberを先入観だけで判断せずに、一歩踏み込んで関わって頂けたら嬉しいなと思っています。

（板井海奈）

おわりに

教育を語るとき、よく「不易」と「流行」という言葉が使われます。いわく、「教育には不易と流行のバランスを取ることが重要だ」というようにです。このバランスは、これまで実に公平さを欠いていて、ずいぶんと不易に偏っていました。割合でいえば「八対二」くらいでしょうか。流行の重要性を認識しつつも、やはり不易に偏ってしまうというのが、教育、特に学校教育の現場の実態と言ってよいでしょう。それがようやく、教育界でも「流行」が勢いを得て、「不易」より優勢になってきた、という感じがします。

教育の改革は常に取り組まれており、有名なところでは、一九八〇年代の臨時教育審議会、二〇〇〇年代に入ってからの教育改革国民会議などによる政府主導の教育改革があります。文部科学省でも中央教育審議会を中心に、教育改革に積極的に取り組んでいます。学校現場にも多くの提言がなされ、産業構造の変化、経済社会のグローバル化、情報化に対応し、教育の目的が個性重視や豊かな人間性の育成などにシフトし、それを目指してきました。ＩＣＴなども導入され、教育の情報化も進んでいます。

それでも、社会が変化するスピードに学校は追い付いていないと言ってよいでしょう。私は仕事柄、学校現場に出入りするようになって四〇年経ちますが、細かい点は変わっても、学校の体制、授業の在り方、教師と児童生徒の関係などの大まかな面は変わっていないように見えます。

教育は「伝統・文化を継承させる営み」と解されることもあり、仕方のない面も確かにありま す。特に学校の授業は「教師が児童生徒を教える」、つまり「大人が子供を教える」という構造が変わらずしっかりとあり、それが大きな変化を拒んできたように思います。

わが国の教育は、戦後の奇跡的な復興、高度経済成長を支えました。現在も国際的に高いレベルを誇っています。したがって、成果を上げてきた「これまで」を大事にしてしまう。積み重ねてきた「前例」に拠ってしまう。そして、大人が子供を教えるからこそ、ある種の「枠」を大事にしてしまう。「不易」に重きを置いてしまう。そのうちに時代は、すごいスピードで前をぐんぐんと進んでいく。こんな構造なのでしょうか。

ところがここ数年、風向きが変わってきました。教育は「子供が自ら学ぶもの」であり、「自分で考え、表現し、判断する力を育てなくてはならない」という言葉を、ずっと多くの人が口にするようになりました。大きな要因は、「ＡＩをはじめとする科学技術の発展」と「グローバル化の進展」でしょうか。国連から「持続可能な開発目標（ＳＤＧｓ）」が打ち出され、その趣旨が浸透してきたこともあります。

そして学校現場でも、前例重視ではなく、時代の変化への対応を優先する変化志向の教師が多く登場し、「流行」を積極的に取り入れ、教育を変えようとする動きが顕著になってきました。

それに、教育に関わっていくのは教師だけではありません。企業や教育研究者、あるいはYouTuberといった人々も参画していくことで、「子供が学ぶ」という教育の在り方が促進されていきます。その中で学校の在り方自体が変わっていく。本書はそういったさまざまな最先端の取り組みを紹介しており、未来の教育を考える上での格好の「教科書」になるでしょう。

ここに示された方々の教育に対する考え方、実際の取り組みは、教師や保護者をはじめ、教育に携わる全ての皆さんの指針になるかと思います。また、教育に直接携わっていないものの、ご関心をお持ちの方にも、興味深い内容であると確信しています。

教育を真に改革していくためにも、本書を通じて一人でも多くの方に「教育の新しい考え方と取り組み」を知っていただき、それが教育への国民的な関心の醸成につながれば、ありがたく存じます。

◇　◇　◇

最後に、インタビューに応じてくださった方々をはじめ、本書の発行に関わってくださった多くの方々に、心からの謝意を表します。

教育新聞社 代表取締役社長　齊藤英行

記者紹介

小木曽 浩介（おぎそ・こうすけ）
編集部長。一九七三年、岐阜県岐阜市生まれ。県立岐阜高校、早稲田大学第一文学部卒業。ポータルサイトのニュースキャスターなどを経て現職。教育新聞の編集方針は「読者が未来を信じる力を得られること」。担当したのは＃01、＃02、＃03、＃06、＃11。

佐野 領（さの・りょう）
編集委員。一九六三年、東京都中野区生まれ。横浜市立桜丘高校、早稲田大学教育学部卒業。全国紙で国内外の取材や編集業務を経験。教育分野の取材は「誰もが未来への希望を語る」ところが気に入っている。担当したのは＃09。

藤井 孝良（ふじい・たかなが）
一九八七年、神奈川県松田町生まれ。県立秦野高校、筑波大学第二学群人間学類卒業。出版社で教科書編集を担当した後、現職。「教師や子供の思いに寄り添う」取材を追究する。担当したのは＃04、＃12、＃13。

板井　海奈（いたい・かいな）
一九八九年、徳島県鳴門市生まれ。県立鳴門高校、東京経済大学現代法学部卒業。業界専門紙の記者やネットメディアのライターを経て現職。いつか中学時代の恩師にインタビューするのが夢。担当したのは＃10、＃14。

秦　さわみ（はた・さわみ）
一九八五年、愛知県春日井市生まれ。中部大学春日丘高校、東京大学教養学部卒業、同大学大学院総合文化研究科修了。過去に経済誌で仏経済学者のT・ピケティ氏に独力でインタビューするなど、不平等・格差と教育の問題に関心がある。担当したのは＃08。

松井　聡美（まつい・さとみ）
一九七八年、香川県丸亀市生まれ。県立丸亀高校、千葉大学教育学部卒業。ランニング雑誌の編集などを経て現職。子育てが落ち着いたら、記者と両立しながら、教育現場で子供たちと関わる仕事もしたいと思っている。担当したのは＃02、＃03、＃05、＃06、＃07。

企画・制作協力

佐藤明彦(株式会社コンテクスト)
篠原知存
森田亜矢子

撮　影

#01　志和浩司・宗宮隆浩(THE PAGE・ヤフー株式会社)
#02・07・11　中島健一
#08・14　市川五月
#10　小形一平(500G INC.)
#12　尾山直大

初出(いずれも教育新聞電子版)

#01　2019年1月1日，2日，3日
#02　2020年5月21日，26日，6月4日
#03　2019年3月20日，25日，27日，2020年6月11日
#04　2018年5月30日，6月6日，20日
#05　2020年3月23日，25日，30日
#06　2019年4月22日，24日
#07　2020年2月10日，12日，17日
#08　2020年7月9日
#09　2019年12月10日
#10　2020年2月19日，24日，26日
#11　2019年6月24日，26日，7月1日
#12　2020年5月12日
#13　2020年3月31日，4月2日，6月2日
#14　2020年1月29日，2月3日，5日

教育新聞
日本を代表する教育専門の報道メディア.「学校を変えるファクトに迫る教育ジャーナリズム」を掲げ，海外も含めた学校現場の先進的な取り組みや，教育行政の動向などをニュースとして報じている．主な読者層は教師，教育関係者，教員志望者等．電子版(https://www.kyobun.co.jp/)は平日毎日更新，新聞紙面は月・木の週2回発行．本書を担当したのは小木曽浩介(編集部長)，佐野領(編集委員)，記者の藤井孝良，板井海奈，秦さわみ，松井聡美．

FUTURE EDUCATION!
──学校をイノベーションする14の教育論

2020年11月17日　第1刷発行
2022年 6 月15日　第4刷発行

編　者　教育《きょういく》 新聞《しんぶん》

発行者　坂本政謙

発行所　株式会社 岩波書店
〒101-8002 東京都千代田区一ツ橋2-5-5
電話案内 03-5210-4000
https://www.iwanami.co.jp/

印刷・三秀舎　カバー・半七印刷　中永製本

ISBN 978-4-00-061436-8　　Printed in Japan